名探偵コナン

赤井秀一緋色の回顧録（メモワール）セレクション
狙撃手の極秘任務（アンダーカバー）

酒井 匙／著
青山剛昌／原作・イラスト

★小学館ジュニア文庫★

謎めいた乗客

DETECTIVE CONAN

SHŪICHI AKAI SELECTION

黒の組織の一員――ジンとウォッカは、洒落た雰囲気のジャズバーでステージ正面の特等席に陣取っていた。つい先ほど取引を終えて、帰って行くクライアントを見送ったところだ。

ステージの上では、背の高い女性歌手が、ピアノの奏でるジャズナンバーに合わせて美しい歌声を響かせている。

「見ましたかい？　今、帰ったクライアントのうれしそうな顔…今夜が最後の酒になるとも知らないで…」

楽しげに言うと、ウォッカは「クックックッ…」と笑い声をもらした。

先ほど帰ったクライアントは無事に取引を終えたと思っているが、実は取引には裏があった。ジンたちはクライアントをだましていて、明日の夜までに始末するつもりでいるのだ。

「ねえ、兄貴…」

ウォッカが呼びかけるが、ジンは返事をせず、黙ったまま顔を前に向けている。

「兄貴？」

ジンの視線の先をたどると、ステージの上の女性歌手に行きついた。どうやらジンは、彼女の歌声に聞き入っているらしい。

「あの歌姫ですかい？　シビレますねぇ…いつ聴いてもこの歌声は…」

そう言って、ウォッカも女性歌手の歌声に耳を傾ける。

するとレストランのウエイターがやって来て、ジンたちのテーブルの上にグラスを二つ並べ、

「ドライマティーニでございます…歌姫からお二人に…」

と、にこやかに言った。どうやらこのお酒は、女性歌手からジンとウォッカへのプレゼントのようだ。

ウォッカは、ピューーッと口笛を吹くと、

「こりゃーありがたくちょうだいすると…」

とグラスを持ち上げた。そのまま口元へ運ぼうとするが、ジンがそのグラスの中へジュッとタバコを差し入れる。

「あ…」

ウォッカが驚いて動きを止める。

ジンは、ウェイターをにらみつけると、低い声で聞いた。

「何の真似だ…？」

ウェイターが「は？」と不思議そうに首を傾げる。

次の瞬間、ジンは立ち上がってウェイターの髪をわしづかみにすると、そのまま押し倒して頭ごとテーブルの上に押し付けた。

「どういう了見だと…聞いてるんだ…ベルモット!!!」

テーブルの上のアイスピックを手に取り、ザッとウェイターの顔を切り裂く。すると、顔の表面がまるでゴムマスクのように裂け、その下から組織の一員であるベルモットが現れた。

「Oh! I'm Just kidding!!（冗談よ　冗談！）」

ベルモットは悪びれずに言うと、試すように笑ってジンを見つめた。

「あの歌姫に鼻の下を伸ばしてる誰かさんを、ちょっとからかっただけ…」

「いいんですかい？　あんたみたいな有名女優がオレ達と一緒にいる所を見られたら…」

ウォッカが、心配そうにきょろきょろと周囲を見まわす。ベルモットは、黒の組織の一員という裏の顔のほかに、有名ハリウッド女優クリス・ヴィンヤードという表の顔も持っているのだ。

「大丈夫よ…他の客も、あの歌声に夢中みたいだから…」

「それより、例の捜し物は見つかったのか？」

ジンに聞かれ、ベルモットはリボンで髪を一つに束ねながら、

「そうね…本命はまだって所かしら…」

と、はぐらかすように答えた。

「本命って…？　そろそろ教えてくださいよ、どこで何をやってるか…」

ウォッカがとまどい気味に聞くが、ジンは新しいタバコに火をつけながら「無駄だ…」と不愉快そうに顔をそむけた。

「この女のくだらねー秘密主義は今に始まった事じゃない…」

「あら…女は秘密を着飾って美しくなるのよ？」

「ヘドが出るぜ…」

悪態をつくジンの顔を、ベルモットは楽しそうにのぞきこんだ。

「ねえ、そんな事より…どう？　今夜…久し振りにマティーニでも作らない？」

「マティーニを…ですかい？」

意味が分からず、不思議そうな顔をするウォッカに、ベルモットは「知らないの？」と聞き返した。

「ジンとベルモットが交われば…」

ジンはタバコをくわえたまま「フン…」と鼻を鳴らすと、薄笑いを浮かべて、テーブルの上のグラスに視線を落とした。せっかくのドライマティーニだが、先ほどジンが吸い殻を入れたせいで灰が浮いている。

「黒と黒が混ざっても…黒にしかならねぇよ…」

ジンはどこか楽しそうに、低い声でつぶやいた。

ひっくしょん！

へっくしゅん!!

阿笠博士のくしゃみが、バスの中に響きわたった。続けて、ちーん、という鼻をかむ音。

どうやら阿笠博士は風邪を引いてしまったようだ。

「おいおい博士…そんなんでスキーに行っても大丈夫かよ？」

コナンがあきれて声をかけると、その隣で灰原が「まあ、自業自得ね…」とクールに目を閉じた。

「カゼひくから、よしなさいって言ったのに…夜遅くまでスキーのハウツービデオでイメトレしてたんだから…」

そう、コナンたちは、これからスキー旅行へ行くのだ。朝の早い時間に阿笠博士の家に集合し、バスに乗って駅へと向かっているところだった。

バスの中はほどよくすいている。後ろから二番目の列の席に、コナンと灰原哀、阿笠博士と吉田歩美がペアになって座り、その一つ前の列に円谷光彦と小嶋元太が座っていた。

「仕方ないじゃろ？　ワシは子供達の引率者！　大人のワシが手本を見せてやらにゃ…」

阿笠博士が苦笑いで灰原に言い返すと、歩美がすぐさま、

「でも向こうに着いたら大人しくロッジで寝てるんだよ？」

と心配そうに言った。前の席から、光彦と元太も顔をのぞかせる。

「カゼはひき始めが肝心って言いますし…」

「調子に乗って外に出るんじゃねーぞ！」

口々に注意され、阿笠博士は慌てて「あ、ああ…」とうなずいた。

引率者のはずの阿笠博士が、歩美たちに心配されているなんて――（どっちが子供だか、わかんねーじゃねーか…）とコナンは心の中で突っ込みを入れた。

週末だが、幸いなことに道路はそれほど混雑していない。バスは運行ルートを快調に進み、米花公園前のバス停でキッと音を立てて停車した。

乗客たちが次々と車内に乗り込んでくる。

「コレ！　お客さんが乗って来る、ちゃんと席に座らんか！」

阿笠博士は、席に立って後ろをのぞきこんでいた元太と光彦に、すかさず注意した。

「ほーい！」

光彦と元太が、声をそろえて座りなおす。

阿笠博士は風邪を引いているし、少年探偵団たちは相変わらず騒々しいしで、スキー旅行は早くも前途多難だ。コナンが思わず「はぁ…」とため息をもらすと、灰原が「あら…」と視線を向けた。

「退屈過ぎて死にそうね…。早く事件か何かに遭遇したいって顔してるわよ…」

「あん？」

「それとも出会いたいのは…彼らの方かしら？」

灰原が言う「彼ら」とは、黒の組織の一員、ジンとウォッカのことだ。

確かにコナンは、黒の組織につながる手がかりを一刻も早く手に入れたいと思っている。

しかし、真っ昼間のこんな場所で組織の連中に出会いたいはずがない。

「バーロ…子供達や博士が乗ってる、こんな狭いバスの中で奴らに会いたいわけ…が…」

わけがない、と言いかけ、コナンは驚いて言葉を切った。

バス停で乗って来た男性客が、全身真っ黒な服を着ていたのだ。

(く、黒ずくめの男!?)

まさか彼は、ジンやウォッカと同じ組織の一員なのだろうか——!?

目を見開いて警戒するコナンに、灰原は「違うわ…」と告げた。

「え?」

「わかるのよ、匂いで…。組織にいた者だけが発する、あのイヤな…」

コナンは灰原の腕を取って、クンクンと匂いをかいだ。組織にいた者が独特の匂いを発するというのなら、組織にいたことのある灰原からもその匂いがするはずだが……。

「別に変な匂いなんてしねーけどなぁ…」

「ふざけないでくれる…?」

じとっとした目で灰原ににらまれ、コナンは負けずに「でもよー」と言い返した。

「そんな第六感でわかるんならピスコの時も…」

以前、灰原とコナンはとあるホテルで、黒の組織の一員であるピスコと居合わせたことがあるのだ。灰原が組織にいた者の匂いを感じ取れるのだとしたら、どうしてピスコを見た時に彼が組織の人間だと見抜けなかったのだろう。

「ええ…うすうすそうじゃないかと思ってたわよ…」

灰原が言い、今度はコナンの目つきがじとっとなった。

「じゃあ何で、あん時言わなかったんだよ？」

「自信が持てなかったのよ…もう一人いたような気がしたから…」

灰原は不安げに目を伏せた。

灰原は知らないが、実はピスコと居合わせた時、ベルモットも同じホテルにいた。灰原の言う「もう一人」とは、おそらくベルモットのことだろう。

「そう…ピスコよりずっと強烈で…鳥肌の立つような魔性のオーラをまとった…」

言いかけて、灰原は急に表情を凍りつかせた。着ていた赤いパーカーのフードをかぶると、前の席の背もたれに隠れるようにして身体を縮こめる。

「え？」

とまどうコナンに、灰原は声を震わせて頼み込んだ。

「く、工藤君…席を替わって私を隠して…お願い!!!」

隣に座っていたコナンは、通路側に座っていた灰原と慌てて席を入れ替わった。

どうして突然、灰原はおびえ始めたのだろう。黒の組織の匂いをまとう人物でも乗り込バスの乗車口に視線を向けると、ちょうど新出智明が乗り込んで来るところだった。新出は、新出医院で働く二十五歳の男性医師で、蘭たちの通う帝丹高校の校医をしている。検診で帝丹小学校に来ることもあるので、コナンや少年探偵団たちとも知り合いだ。

「あ！　新出先生！」

歩美が新出に気付いて声をかける。

「あれ？　みんなも乗ってたのかい？」

「先日は内科検診お疲れ様でした！」

光彦が礼儀正しくあいさつをすると、新出は「いやいや…」と謙そんした。

新出が子供たちと和やかに会話を交わす間も、灰原は相変わらずおびえたままだ。

「新出先生がどうかしたのか？　そーいやオメー、内科検診の日、休んでたよなぁ…」

コナンが心配して聞くが、灰原は声も出せずに身体を震わせ続けた。

新出が一緒に連れている女性に気付いて、元太は「お〜〜っ」とニヤけた。

「今日は先生、デートかよ？」

「あ、いや彼女は僕が校医をやってる帝丹高校の教師で…」

新出が紹介する前に、その女性は新出の背後から身を乗り出して、「ＨＩ！」とコナンに向かって声をかけた。

「クール・キッド♡　また会いまーしたねー!!」

帝丹高校の英語教師、ジョディだ。おしゃべりで愛想の良い白人女性で、髪をショートカットにして眼鏡をかけている。

「知り合いか？」

阿笠博士に聞かれ、コナンは「あ、うん…」とうなずいた。

「蘭姉ちゃんの高校の英語の先生で…」

「私の名前はジョディ・サンテミリオン！」

にこやかに自己紹介をすると、ジョディは新出の腕をぎゅっと抱きしめたまま、

「今日はＤｒ新出と上野美術館でデートですー♡」

とテンション高く続けた。

「あ、いや、偶然バス停で会ってね…」

そう言いながら、新出はコナンの一つ前の席に腰を下ろした。どうやら本当はデートではなく、偶然出くわしただけらしい。

「Ohーレディに恥をかかせちゃいけませーん！」

ジョディは文句を言いながら、新出の隣に座った。

「高校で変な噂が立ったら、お互い困るでしょ？」

新出が言うと、ジョディは慌てたように手を口元に当て、「Oh Yes!」とうなずいた。


新出とジョディがバスに乗って来てから、灰原はずっと、フードを深くかぶってうつむき続けていた。

ドックン、ドックン……

心臓が大きく跳ね、ひたいに冷や汗が浮かぶ。灰原は、「組織にいた者だけがまとう嫌な匂い」を、今まさにこのバスの中で感じているのだった。

一体、その匂いを発しているのは誰なのだろう？

新出とジョディに続いて、背の高い男性がバスに乗り込んで来た。黒いニット帽をかぶってマスクをつけ、風邪でも引いているのかゴホゴホと咳を繰り返している。

最後に乗り込んできたのは、ケースに入ったスキー板を持った二人組の男性だ。スキーウエアを着て手袋をはめ、頭にはニット帽をかぶり、ゴーグルをつけて顔を隠している。

まるでゲレンデにいるかのような格好だ。

「おい見ろよ！　あいつら、こんな所からもうスキーのカッコしてるぜ！」

元太が言い、光彦は「せっかちですねぇ…」とあきれた。

(おいおい、いくら何でもゴーグルまでつける事は…)

コナンが不審に思って見ていると、男たちはスキー板のケースから拳銃を取り出し、大きな声で叫んだ。

「騒ぐな!!!　騒ぐとぶっ殺すぞ!!!」

(バ…バスジャック!!!)

乗客たちはいっせいに身体を固くし、若い女性客が「キャアアア！」と悲鳴をあげた。

ドン！

男の一人は、天井に向けて銃を撃つと、

「聞こえねーのか⁉」

と、怒号を響かせた。乗客たちは恐怖のあまり、すっかり静まり返ってしまう。

このバスは、男たちによって完全に占拠されてしまった。

もう一人の男は、銃口を運転手に突きつけると、乱暴に命令した。

「『回送』にして都内を適当に走れ！　信号でひっかかったら、てめえのバス会社に電話するんだ…」

「は、は、はい！」

運転手は言われるがまま、行先の表示を「回送」に変えた。

「よーし、いい子だ…」

バスジャック犯は、そう言ってほくそ笑むと、乗客たちに向かって銃口を突き出した。

「さあ…あんたらが持ってる携帯電話を全てこっちに渡してもらおうか…。隠すなよ…隠すと、電話を一生かけられなくなっちまうぜェ？」

低い声で脅しながら、順番に乗客たちの携帯電話を回収してまわる。乗客たちは大人しく、自分の携帯電話をバスジャック犯に差し出した。

やがてバスが赤信号で停まると、運転手は言われた通り、バス会社に電話をかけた。

「あ、小林です……じ、実は今…」

事情を説明しようとするが、すぐに横から電話をガッとバスジャック犯に奪われてしまう。バスジャック犯は、電話口に向かって勢いよくがなりたてた。

「たった今、あんたんトコのバスを占拠した!! 要求はただ一つ! 今、拘留の矢島邦男の釈放だ!!! できなければ一時間おきに乗客を一人ずつぶっ殺すと警察に伝えろ!! 20分後またかける! それまでに準備を整えておけ!!」

(矢島邦男って…)

バスジャック犯が口にした名前に、コナンは聞き覚えがあった。

(先月、爆弾を作って宝石店を襲った強盗グループの一人じゃねーか…。捕まったのは主犯の矢島って男だけで、あとの三人の仲間は今も逃亡中…。確か矢島は、元宝石ブローカーだったな…)

ということは、このバスジャック犯たちは、逃亡中だった三人の仲間のうちの二人なのだろう。コナンは（なるほど……）と小さく笑った。
（どうやら宝石には素人の残った仲間が、奪った宝石を抱えて未だにさばけず、ボスの奪還を試みたか…。もしくはボスしか知らない宝石の保管場所を、牢から出して聞き出そうって所だな…）

バスジャック犯たちは、前の席の乗客から順番に携帯電話を回収して、バスの一番後ろまでたどり着いていた。最後列の座席の向かって右端に座っているのは、黒いニット帽をかぶった男性客だ。マスクで顔を隠しているが、それでも日本人離れした彫りの深い顔立ちであることが分かる。背が高く、長い足を窮屈そうに曲げて狭いバスの座席に座っていた。

「おい、そこのおまえ！　早く出せ!!」

「あ、すみません…携帯持ってないんですよ…」

ニット帽の乗客――赤井秀一がそう答えると、バスジャック犯は、赤井の隣に座っている乗客に視線を移した。全身真っ黒な服を着ていたので、コナンが組織の一員ではないかと勘違いしたあの初老の男性だ。

初老の男性――町田安彦が、耳に何かをつけているのに気付いて、バスジャック犯は声を荒らげた。

「そこのオヤジ！　何だ、その耳につけてる物は!?」

「ほ、補聴器です…。わ、若い頃、耳を悪くして…そ、それで…」

おびえながら答える町田の隣では、茶髪の女性客が音を立ててガムをかんでいた。

「おいそこ！　クチャクチャうるせぇぞ！」

バスジャック犯が怒鳴るが、茶髪の女性――富野美晴はひるまずに言い返した。

「当たり前でしょ？　ガムかんでんだから…。それに、こんな事してもどーせあんたら捕まっちゃうんだから…早いトコあきらめて逃げた方が身のため…」

ドン!!

富野の反抗的な言い方が気に障ったのか、バスジャック犯はいきなり発砲した。銃弾は、富野の顔のすぐ横を通り、座席の背もたれにめりこんだ。

富野の顔がさあっと青ざめる。

「わ、わかりました…。大人しくしてます…」

か細い声で富野が言うと、バスジャック犯は「ああ…」と満足げにうなずき、

「最初から、そうしてりゃいいんだよ…」

と言いながら、運転席の方へと戻ろうとした。

ところが、数歩も歩かないうちに、ドシャッと転んでしまう。ジョディが、組んだ足の先を通路に出していたので、つまずいてしまったらしい。

バスジャック犯は、強打した顔面を押さえながら、よろよろとジョディの方を振り返った。

「こ、この外人女…」

「Oh～～sorry!!（ごめんなさい）」

ジョディは慌てて席から立ち上がると、銃を持ったバスジャック犯の手をぎゅっと握りしめ、英語でペラペラと何か話し始めた。表情から察するに、足を引っかけてしまったことを謝っているのだろうが、バスジャック犯には何を言っているのか分からない。

「ああ、もういい…席に座ってろ！」

苦々しげに言われ、ジョディは一度は大人しく席に着いたが、バスジャック犯が運転席

の方へ歩いて行くと、すぐさまコナンの方を振り返った。

「It's very very exciting!!（わくわくしちゃうわね!!）」

と、はしゃいだ声で言う。乗っていたバスがバスジャック犯に占拠されてしまったというのに、ジョディはこの状況を楽しんでいるらしい。

（おいおい大丈夫か、この先生…）

あきれつつ、コナンは座席から身を乗り出してバスジャック犯たちの様子をうかがった。

彼らは運転席の近くで何やら話し込んでいて、コナンの様子には全く注意を払っていない。

警察に連絡をするなら、今がチャンスだ。

コナンはポケットの中に手を入れ、阿笠博士に作ってもらったイヤリング型携帯電話を取り出した。

（とにかく…奴らが向こうに行ってるスキに…このイヤリング型携帯電話で…このバスの中の状況を…目暮警部に…）

前の席の背もたれに隠れながら携帯電話を操作して、警察に連絡しようとする。

と、ふいに気配を感じて顔を上げると、さっきまで前方にいたはずのバスジャック犯がすぐ前に立って、コナンのことを見下ろしていた。

「え？」

「何してんだこのガキ!!」

バスジャック犯はコナンの身体をつかむと、勢いよく通路にたたきつけた。ダン！　と大きな音が車内に響きわたる。

「今度下手なマネしやがったら、殺すのはおまえからだ!!」

吐き捨てると、バスジャック犯はコナンから奪ったイヤリング型携帯電話を手に持ったまま、運転席の方へと戻って行った。

歩美が心配そうに席を立ち、コナンに駆け寄る。

(くそー、電話取られちまった…)

痛みに顔をゆがめながら、コナンはゆっくりと身体を起こした。

(しかし変だなぁ…奴は真っすぐオレの所へ来た…。イスの陰で見えなかったはずなのに…。…って事は…いるんだ、仲間が…。オレの行動が見える位置にいたあの三人の中に…)

コナンの動きが見える最後列に座っている乗客は、赤井、町田、富野の三人だけだ。赤井はさっきからゴホゴホと咳を繰り返し、町田はしきりに補聴器を気にして、富野はクチャクチャと音を立てながらガムをかんでいる。

三人の中の誰かが、バスジャック犯たちにコナンの行動を伝えたのだろう。

(でも、どーやって奴に伝えたんだ!? 不審な行動をとるオレの位置を誰にも気づかれず…いったいどんな方法で…)

『ジャックされたバスは現在、高井戸方向へ向かって走行中! 速度約50キロ!!』

バス会社からの通報を受け、警察はジャックされたバスの動きを把握するため、人員を近辺の建物の中に張り込ませた。

警視庁捜査一課の高木刑事は、道路沿いの民家の二階で双眼鏡を装備して、バスを待ち構えた。

「こちらE地点高木! 問題のバス見えました!!」

バスが前を通る瞬間、双眼鏡越しに車内を確認して、バスジャック犯や乗客たちの様子を報告する。

「被疑者は二名！　どちらもスキーウエアを着用！　帽子とゴーグルで顔はわかりませんが、両名共拳銃を所持している模様！　どうします、警部？」

指示を仰がれ、バス会社で待機していた目暮警部は、

「バスはもう一度そこを通るかもしれん！　そのままそこで待機だ!!」

と、早口に指示を出した。

「ハッ!!」

高木刑事が、きびきびと返事をする。

高木刑事との通信を終えると、目暮警部は悔しげに「くそ！」と顔をしかめた。

「二人も拳銃を所持しているとなると、ヘタに手は出せんか…」

「目暮警部！」

白鳥警部が、目暮警部に報告を入れにやって来る。

「たった今、上層部の判断が下りました！　人質となっている乗客の身の安全確保を最優

先！　とりあえず被疑者の要求通り、拘留中の矢島邦男を釈放せよと…」

「ウーム、止むを得まい…被疑者はすでに車内で二発も発砲しているようだし…奴らがあの宝石強盗団の一味だとしたら、中には爆弾のプロが混じっている…。街中で爆弾を使われでもしたら大惨事になりかねん…」

目暮警部の表情は苦々しげだった。乗客の安全確保のため犯人の要求には従わざるを得ないが、とはいえ矢島を釈放するのは苦渋の選択だ。

「まあ所詮、袋のネズミでしょう！　バスは都内を適当に走っているだけのようですし…」

白鳥警部が楽観的に言うが、目暮警部は「いや」と深刻な表情で首を振った。

「何かあるかもしれん…。ワシら警察を煙に巻いて逃走できる…何かの策が…」


「フフフ…そうか、釈放する気になったか…」

矢島を釈放する、という警察からの電話を受けて、バスジャック犯は満足げだった。

「それじゃあ釈放した矢島に、一時間後、こっちに電話するように伝えろ！　奴の口から本当に安全な場所に逃げられたと確認できたら人質をまず三人解放する…。いいか！　くれぐれもヘタな真似すんじゃねーぞ！」

強い口調で念押しすると、バスジャック犯はピッと一方的に電話を切ってしまった。

一人が電話をしている間、もう一人の男は、持って来た二つのスキー板の袋をバスの通路の中央へと運び、そこに二つ並べて置いた。

（縦に二つにならべたスキー袋…まさかこれって…）

わざわざ持って乗って来たからには、きっとこのスキー袋には何か秘密があるのだろう。

コナンは、バスジャック犯たちに感づかれないよう床に這いつくばり、そっとスキー袋に手を伸ばした。この姿勢なら、バスジャック犯に見られずにスキー袋を観察できると思ったのだが――

またもすぐにコナンの動きを把握したバスジャック犯が、一直線にコナンのもとへと歩いて来た。

「え？」

「またおまえか…」

あきれて言うと、バスジャック犯はコナンに銃口を向けた。

「早く殺して欲しいんなら、望み通りにしてやるぜぇ？」

「コ、コナン君⁉」

阿笠博士や少年探偵団たちが、おののいて叫ぶ。

だが、新出が、コナンをかばうようにして犯人の前に飛び出した。

「止めてください‼　ただの子供のイタズラじゃないですか⁉　それにあなた方の要求は通ったはず‼　ここで乗客を一人でも殺すと、計画通りにいかないんじゃないですか？」

新出に必死の表情で説得され、バスジャック犯はいまいましげに唇をかんだ。

「何だと、この青二才……」

つぶやいて、銃口を新出に向けようとする。と、そこへもう一人のバスジャック犯が寄って来て、「やめろ！」と止めに入った。

「弾がそれて、アレに当たったらどーすんだ？」

そう耳打ちされ、銃を構えていた方のバスジャック犯は、「あ、悪い…」と謝りながら腕を下ろした。

「ホラ、おまえらさっさと席に戻れ!!」

と、新出とコナンに向かって苦々しげに言い放つと、バスジャック犯は二人ともバスの前方へと戻って行った。

「は、はい…」

うなずく新出の陰に隠れ、コナンは緊張してスキー袋に視線を向けた。

(アレに当たったらって…やっぱりこのスキー袋…中身は爆弾か⁉)

もしもこのスキー袋の中身が爆弾だとしたら、バスジャック犯たちは乗客たちを全員始末するつもりかもしれない。

(これを使って奴らが何をする気か、まだわからねーが…今のではっきりわかったぜ…。後ろの三人の中に、オレの行動を奴に知らせた奴らの仲間がいるって事が!!)

コナンは席に戻ると、後ろの席に座った三人の様子をうかがった。

(どうにかしてそいつが誰なのか割り出さねーと、手が出せねぇ…)

「おい灰原、おまえも何か知恵出せよ…」

隣に座る灰原に耳打ちするが、返事はない。

「おい…」

なおも声をかけようとして、コナンは灰原の様子がおかしいことに気が付いた。

灰原は、ジョディたちがバスに乗って来てからずっと、何かに追われているかのように
おびえ続けているのだ。身体の震えは、どんどん大きくなって来ていた。

(何？　何なの？　この刺さるようなプレッシャー…)

灰原は自分に問いかけると、ぎゅっと手のひらを握りしめて歯を食いしばった。

(あの時と同じ威圧感…いる…あの人が…このバスの中に!!!)

ピスコと居合わせた事件で感じた、組織の匂い——あの時と同じ匂いをまとった人物が、
今このバスの中にいると、灰原は強く確信していた。しかし、それが誰なのか分からない。

(やっぱり組織の人間？　私を追って来たの？　それとも偶然？　こんな所で私の正体に
気づかれたら…組織を抜けた裏切り者だとわかったら…私と一緒にバスに乗った博士も…

みんなも…一人残らず消されてしまう…)

ドックン、ドックン……

心臓の音が、どんどん大きくなっていく。灰原は身体をかたくしたまま、隣に座るコナンの方を見た。

（もちろんこの人も…確実に……。お願い…お願いだから…見つからないで!!）

その時、ジョディが前の席から顔をのぞかせ、コナンに向かってウインクをした。

「ムチャはダメね、クール・キッド！　グッドチャンス、すぐに来まーす！」

ジョディの声を聞いたとたん、灰原はビクッと大きく身体をこわばらせた。正体がバレてみんなに危険が及ぶことが怖くて、フードをかぶったまま深くうつむいてしまう。

「Oh──怖がらなくても大丈夫!!　私達もうすぐ助かりまーす！」

灰原がバスジャック犯を怖がっているのだと勘違いして、ジョディはわざとらしいほど優しく灰原に笑いかけた。

「赤ずきんちゃん、お名前は？」

「あ、この子は…」

代わりに答えようとしたコナンの手を、灰原がギュッとつかむ。コナンは（え？）と驚いて、灰原の様子をうかがった。灰原は目を閉じたまま、小さく身体を震わせ続けている。

ジョディは、灰原の顔をのぞきこもうと、身を乗り出した。

「What's your name, Little Red Riding Hood?（名前教えてよ、赤ずきんちゃん？）」

「たまたま乗り合わせた知らない子だよ！」

コナンは灰原の気持ちを察し、そう言ってごまかした。

「すごく怖がってるから、そっとしといてあげて…」

「Oh～～ごめんなさーい！」

ジョディがあわてて謝ると、バスジャック犯が「おいそこ！」と怒鳴った。

「さっきから何やってんだ!?」

「ジョディ先生！　あまり彼らを刺激しないでください！」

見かねた新出も、横から口を出してジョディを注意する。銃を持ったバスジャック犯に脅されているというのに、ジョディの振る舞いは自由すぎだ。

ジョディは「Oh Yes!」と苦笑いすると、

「Let's talk later...（またね…）」

と、コナンに声をかけた。

「あ、うん…」

コナンがあいまいにうなずく。

ジョディは自分の席に座り直しながら、震えながらコナンの手を握る灰原の手に、ちらりと視線を送った。

一体何故、灰原はそんなにおびえているのだろう。

コナンは、灰原にその理由を聞きたかったが、灰原はこちらを見ようとしない。

(おい…まさか…まさか、いるのか？　このバスの中に…奴らの仲間が…)

ジンとウォッカの顔が脳裏に浮かぶ。彼らに薬で小さくされてから、コナンはずっと組織につながる手がかりを探してきたのだ。もしもこのバスの中に組織の一員が乗っているのだとしたら、逃したくはない。

(でも今は、バスジャックのもう一人の仲間の割り出しが先だ…。そいつを見つけて早く手立てを考えないと、黒ずくめどころじゃなくなっちまう…。怪しいのはこの三人…)

後部座席に座る三人――赤井、町田、富野の方を振り返る。コナンはまず、赤井に注目した。

（その中で一番疑わしいのは…直接音で伝える事が可能な…さっきからゴホゴホやっているあの男…。でも、セキなら博士もやってるし…この二人のセキの音に違いはそんなにない…）

コナンは、富野に視線を移した。

（音といえばガムをかんでるあの女も出しているけど…。セキの音の方がはるかに大きいし…奴らはあの時、運転席のそばにいた…。あんな所からガムの音が聞き取れるわけがない…）

赤井でも富野でもないとすれば、残るは町田しかいない。全身黒ずくめの服装で固めた、初老の男性だ。

（残るは補聴器をつけている…あのオジさん…。あの補聴器がワイヤレスマイクなら、こっそり声で伝えるのは可能だけど…犯人は二人共、耳には何もつけていないし…声を出せば両脇にいる二人が不審がるはず…）

三人のうち誰がバスジャック犯の仲間なのか、決定的な証拠は見つからない。コナンは腕組みをして考え込んだ。

(犯人二人が絶えず見てるのは、バックミラーぐらいだし…)

「おいジジイ!!!」

バスジャック犯が急に大声を出し、コナンは「え？」と思考を中断した。

見ると、さっきまでバスの前方にいたはずのバスジャック犯が、いつの間にか阿笠博士の前まで来て手元をのぞきこんでいる。

「何やってんだ、ゴソゴソ!!」

「あ、いやセキ止め薬を…」

風邪を引いていた阿笠博士は、咳が止まらないので薬を飲もうとしたらしい。席に座っている阿笠博士の手元は、バスの前方からは見えないはずなので、おそらくまた、バスジャック犯の仲間が教えたのだろう。

(またた…また教えやがった…。くそっ！　いったいどーやって…どーやって教えてるっていうんだ!?)

ピリリリ、ピリリ……

バスジャック犯が着ているスキーウェアのポケットの中で、携帯電話が着信した。

「ん？」

電話に出るなり、バスジャック犯は「オウ、待ってたぜ矢島さん！」と声を弾ませた。

警察は、矢島釈放したようだ。

「どうです？　そっちの様子は…」

『ああ、問題ない…警察はまいたよ…』

ハアハアと荒い息をつきながら答える矢島の声が聞こえてくる。矢島はどうやら、どこかの公衆電話から電話をかけているらしい。

「じゃあ三日後、いつもの場所で落ち合いましょうや…」

電話を切ると、バスジャック犯は運転手に指示を出した。

「よーし運転手、首都高に乗って中央道に入れ！　小仏トンネルに差し掛かったらスピードを落とすんだ…」

言われるがまま、バスは首都高に向かって進路を変えた。

「へへへ、心配すんなよ…。約束通り、乗客はちゃんと解放してやるからよォ…」

意地悪く言って、バスジャック犯たちはほくそ笑んだ。

ちょうどその時、小さな女の子が、風船を持って歩道を歩いていた。女の子は、バスが横を通り過ぎたことに驚いて、風船から手を離してしまった。

「あ…」

慌てて伸ばした手の先をすり抜け、風船はゆっくりと空に舞い上がって行った。

コナンはバスの中から、飛ばされた風船に目を留めていた。

風船の動きを目で追いながら、コナンははっとした表情を浮かべた。たまたま目に入った風船がヒントになって、バスジャック犯の仲間が誰か分かったのだ。

バスが首都高に入ると、バスジャック犯たちは拳銃を乗客たちに向けたまま怒鳴った。

「おい！　そこの眼鏡の青二才と奥のカゼをひいた男！　前へ来い!!」

眼鏡の青二才とは新出、風邪をひいた男とは赤井のことだろう。

「ホラどーした、早く来な…」

「殺しゃーしねぇって…」

バスジャック犯たちに急かされ、新出と赤井は仕方なく立ち上がって歩いて行く。

一方コナンは、今のバスジャック犯たちの行動で、いよいよ自分の推理に確信を持っていた。

(なるほど…そういう事か…。読めたぜ、オメーらのもう一人の仲間も…このバスからの逃走手段もな!!)

バスジャック犯を止めるには、ジョディの協力が必要だ。

コナンは前の席に座っているジョディに向かって、椅子の下からパシッと手帳を投げた。

手帳はジョディの足首に当たり、ジョディは「?」と不思議そうにしながらも、さりげない動作で拾い上げた。

(手帳?)

ぱらぱらと中を確認してみると、コナンの字で「口紅持ってる?」と書かれている。ジョディはカバンから口紅を出すと、座席の下からシュッとコナンに向かって投げた。

その時、バスジャック犯に指名された赤井と新出は、通路を歩いてバスの前方へと向かっていた。二人とも、ジョディがコナンから伝言の書かれた手帳を受け取ったことに気付いたようだ。

ジョディが投げた口紅をパシッと受け取ったコナンは、（おーし…）と強気な笑みを浮かべた。

（あとはこの探偵バッジで…あいつらに…）

灰原が組織の匂いを感じ取っていた相手は、やはりベルモットだった。
灰原が感じ取っていた通り、このバスには変装したベルモットが乗っていたのだ。ベルモットは、コナンが何かたくらんでいることに気付くと、楽しげに目を細めた。
(Where can a lipstick bring us?（さあ…その口紅一本でどうする気？）Show me your magic…（お手並み拝見させてもらうわよ…）Cool guy…（クールガイ）)
心の中で、そうコナンに語りかける。

コナンは探偵バッジを使い、少年探偵団たちに指示を出そうとしていた。

バスは首都高を抜けて中央道に入り、都心からどんどん遠ざかって行った。

警察は、一般車両に紛れてバスを追跡していた。高木刑事の上司でもある、捜査一課の佐藤刑事も、自ら車を運転してバスを追いかけている。

「こちら佐藤…ジャックされたバスは現在、中央道を大月方面へ向かって走行中！　間もなく小仏トンネルです!!」

『そのまま尾行を続けろ！　見失うんじゃないぞ!!』

目暮警部から指示を受け、佐藤刑事は「ハッ!!」と歯切れよく返事をした。

佐藤刑事との通信を終えると、目暮警部は、周囲に集まった捜査員たちをぐるりと見まわした。

「よーし、バスのガソリンは残りわずかだ!!　奴らは恐らく給油と同時に約束の乗客三人を解放するはず！　山梨県警に応援要請してバスが立ち寄りそうなＰＡに捜査員を配置させろ!!　ドアを開けた瞬間が突入する絶好のチャンスだ!!」

捜査員たちが、「ハッ!!」と声をそろえる。

その時、再び佐藤刑事から報告が入った。

『警部！　バスがスピードを落としました！』

「なに!?」

『これより小仏トンネルに入ります！』

目暮警部はあせった。バスがスピードを落としたということは、バスジャック犯たちはトンネルの中で何かをしようとたくらんでいるのかもしれない。


ジャックされたバスは、小仏トンネルの中をゆっくりと走り続けていた。

バスジャック犯たちは、用意しておいたらしい私服に着替えると、ニット帽とゴーグルを外して乗客たちに素顔をさらした。二人とも、特徴のない顔立ちをした中年の男性だ。

二人は、脱いだスキーウエアを赤井と新出に渡した。

「ホラ、おまえら！　このスキーウエアに着替えて床に座れ！　このゴーグルと帽子も忘れるなよ！」

新出と赤井は、言われた通りに服を着替え、渡されたゴーグルと帽子をつけた。

「少しの間、オレ達の身代わりになって時間を稼いでもらうんだよ…解放された乗客の振りをしてバスから降りて逃げる、オレ達の時間をな…」

バスジャック犯は、そう言って満足げにほくそ笑んだ。確かに、車内に踏み込んで来た警察は、赤井と新出がバスジャック犯だと勘違いするだろう。バスジャック犯たちが赤井と新出を選んだのは、体型が自分たちに似ていたからだったのだ。

「心配しなくてもおまえらが犯人じゃないって事は、他の乗客が後で証言してくれるさ…。まあ、オレ達がちゃんと逃げられるかどうかは、運転手！　おまえ次第だ!!」

そう言って、バスジャック犯の一人は、運転手に銃口を向けた。

「オレ達がバスから降りたら、そのままバスを走らせて警察の目をバスに向けろ！」

「もちろんちゃんと指示に従ってもらうために…人質を一人取らせてもらう…」

もう一人のバスジャック犯は、銃を構えながら通路を歩くと、バスの後方に目を留めた。

「一番後ろのガムの女！」

視線が合い、富野が「え？」と身体をすくめる。

「おまえだ、前に来な！」

命令され、富野は緊張した面持ちで席を立った。そのままコツコツと足音を立てて、バスジャック犯の方へと歩いて行く。

コナンは、横を通る富野の様子を素早く観察した。富野は、デジタル表示の腕時計をつけている。

バスジャック犯は、歩いて来た富野を後ろから羽交い締めにして拘束すると、「いいか!?」と運転手に詰め寄った。

「トンネルを出たらスピードを上げて、後ろの警察の車を引き離してからバスを止めるんだ！　オレ達が降りたらガスが尽きるまで突っ走れ!!　この女の顔をふっ飛ばしたくなかったらなァ!!!」

銃口をこめかみに押し付けられ、富野が「ひっ」と悲鳴をあげる。

「は、はい!!」

運転手は慌てて返事をすると、緊張した面持ちでハンドルを握りなおした。自分の行動に富野の命がかかっていると分かり、プレッシャーを感じているらしい。

コナンは座席から通路側に身を乗り出し、犯人たちのやり取りをうかがいながら、（いや、違う…）と表情を険しくした。

（彼女は人質じゃない…奴らの仲間だ!!）

富野は今、バスジャック犯に後ろから羽交い締めにされ、苦しそうに表情をゆがめている。しかし、それはおそらく演技だ。

（思った通り…仲間三人でバスから降りた後、このスキー袋に入れた爆弾を爆破して乗客全員の口を封じる気だな？）

コナンが見守る中、バスジャック犯たちは、スキーウエアを着せた赤井と新出を通路の中央に座らせた。二人のすぐ横には、袋に入ったスキー板に見せかけた、爆弾が並んで置かれている。

（そう…奴らは本当に解放された人質になりきり、警察に保護されて、自分達とは全然違う犯人像を三人で口をそろえて証言するつもりだ…。恐らく警察は、犯人は二人組だと思っているだろうし、「解放される前に犯人と乗客がもめていた」とでも言えば、何かのアクシデントで爆弾が爆発し、犯人は乗客と共に爆死したと思わせられる…。つまり、爆破後にバスの中から発見されるスキーウエアを着た新出先生とカゼをひいたあの男性の死体を、バスジャックの犯人二人だと錯覚させられるってわけだ!!)

バスジャック犯たちは、赤井と新出を身代わりにして自分たちは逃げ、乗客を解放すると話していた。しかしそれは嘘で、最初から乗客や運転手を皆殺しにするつもりだったのだ。

(スキーウエアを着せるのをトンネルの中にしたのは、その様子をバスの外から見せないためだろーが、この暗闇はこっちにとっても好都合だぜ…)

コナンは強気にほほえむと、カチッと少年探偵団のバッジにスイッチを入れた。このバッジには通信機能がついていて、電話代わりに使うことができるのだ。

歩美や元太、光彦の持っているバッジが、ピピ…と音を鳴らす。

歩美が(え?)と真っ先に気付き、元太も(あ…)と気付いてバッジを手にした。続いて光彦が、(探偵バッジ?)と困惑しながら反応する。

バッジを鳴らしたのがコナンだと気が付いて、三人は（コ、コナン君!?）と慌てた。この状況でバッジを鳴らして連絡をしてくるなんて、コナンは一体何をしようとしているのだろう？

コナンは、チョンチョンと自分の耳を指さし、（耳！　耳！）と口の形で伝えた。歩美は隣にいる阿笠博士と一緒にバッジに耳をくっつけた。光彦と元太もそれぞれのバッジを耳に当て、

『いいか！　今からオレが言う通りに行動するんだ！』

コナンは小声で、歩美たちに計画について説明した。コナンの計画を成功させるためには、少年探偵団たちにも活躍してもらわなければならない。

コナンは不敵に目を細めた。

『大丈夫！　車内は暗いし、奴らは計画の成功を確信して油断している…バスがトンネルから出た、その瞬間が勝負だぜ？』

ほどなく、バスは小仏トンネルを通過して外に出た。

「よオし！　スピードを上げろ!!」

バスジャック犯が威勢よく言い、バスはゴォッと速度を上げた。富野は、バスジャック犯によって羽交い締めにされたままだ。

「ヘタなマネするなよ…。オレ達の言う通りにやってりゃ助かるん…」

「よく言うよ…どーせ殺しちゃうくせに…」

コナンがバスジャック犯の言葉をさえぎって言う。

図星を突かれ、バスジャック犯たちは「な!?」とあせった。コナンはなおも続ける。

「だってみんなに顔を見せたって事はそーいう事でしょ？　なんとかしないとみんな殺されちゃうよ…この爆弾で!!」

コナンの方を振り返り、バスジャック犯ははっと目を見開いた。コナンと阿笠博士が、スキー板の袋に入った爆弾を手に持って、高く掲げていたのだ。

バスジャック犯の一人は、反射的に銃口を構えた。

「こ、このガキ、黙らせてやる!!」

「おいバカ！　撃つなよ!!」

もう一人のバスジャック犯が、慌てて止めた。発砲してもしも爆弾に当たったら、このバスはバスジャック犯もろとも吹き飛んでしまう。

「ん？　何だァ？　その赤い落書きは…？」

スキー袋の中央に書かれた落書きに気付き、バスジャック犯たちは眉を寄せた。赤い色で、何か奇妙な図のようなものが書かれているのだ。

一方バスの運転手は、突然コナンがバスジャック犯と言い合いを始めてしまったので、ハラハラしながらルームミラーごしに車内の様子を見ていた。

「早く!!!」

コナンは運転手に向かって大声を出した。急かされて、運転手はミラーに映ったスキー袋をまじまじと見つめた。スキー袋に書かれた落書きは、どうやらアルファベットのようだ。

（STOP!?）

コナンは、ジョディから借りた口紅を使い、「STOP」の文字を左右反転させてスキー袋に書いたのだった。ミラー越しに車内を見ている運転手なら反転した文字を正しく読めるが、直接見ているバスジャック犯たちはすぐには読むことが出来ない。コナンはそれを狙ってわざわざ文字を反転させたのだ。

スキー袋に書かれた指示に従い、運転手はガッとブレーキを踏んだ。

キキキキ！

タイヤを軋ませて、バスが高速道路の上を滑る。通路に立っていたバスジャック犯たちは、たまらず「おわっ」と倒れ込んだ。

最後列の席の中央に座っていた町田も、身体が手前に倒れ、コナンが持っていた爆弾にぶつかりかけてしまう。しかし、町田の隣に移動していた歩美が、

「おじさん、こっち！」

と、腕を引っ張って町田を助けた。町田は「え？」ととまどいつつも、歩美に腕をひかれるがまま座席の右側に倒れ込み、ぶつからずにすんだ。

一方、元太と光彦は、座席の足にしがみつきながら、通路に置かれたもう一つの爆弾を押さえていた。運転手が急ブレーキを踏んだ時も爆弾を離さず、

「放すなよ、光彦!!」

「わかってます!!」

と声をかけ合って、衝撃から爆弾を守った。

キッとバスが停止すると、コナンはすぐさま座席を飛び出し、バスジャック犯たちのもとへと走った。

「この…」

バスジャック犯の一人がよろよろと起き上がり、銃をコナンに向けようとする。

その背後では、赤井がバスジャック犯に肘鉄を食らわせようとしていたが、コナンが腕時計型麻酔銃を撃つ方が早かった。

プス！

麻酔針がひたいに刺さり、バスジャック犯は瞬時に眠りについて、ドッと倒れ込んでしまう。赤井は、何故バスジャック犯が倒れたのかすぐには分からず、きょとんとした表情を浮かべた。

「つっ……」

通路に倒れた富野が、痛そうに頭をさすりながら身体を起こす。

コナンはすかさず、「新出先生！」と声をかけた。

「その女の人の両腕をつかまえて!!　その人がつけてる時計は爆弾の起爆装置だ!!」

コナンの言葉を聞いた新出は、すぐさま富野の腕を後ろから押さえ付け、羽交い締めにした。

これで、三人のバスジャック犯のうち、二人を拘束することが出来た。残る一人は、コナンの背後で起き上がり、

「ガ、ガキがなめたマネを…」

と、怒りに震えながら銃を構えた。

しかし、次の瞬間――

ドッ！

ジョディのひざ蹴りが、バスジャック犯の腹にめりこんだ。バスジャック犯はたまらず、倒れ込んでしまう。ジョディはバスジャック犯の上に馬乗りになると、

「Ｏｈ――ごーめんなさーい！」

と肩をすくめた。

「急ブレーキでバランスが…」

「ふ、ふざけるな!!」

バスジャック犯は、ひたいに青筋を立てて、ジョディに銃を向ける。そのまま発砲しようとするが、なぜか引き金が固まっていて動かなかった。

「あ、あれ？　引き金が…」

何度も試してみるが、引き金はガチガチと音を立てるばかりで、一向に動かない。ジョディはバスジャック犯の手を握り、さりげなく銃を奪い取りながら、

「バカね…」

とささやいた。

「トカレフは、撃鉄を軽く起こして中間で止めると安全装置がかかるのよ？　これくらい、ジャックする前に勉強しておきなさい…」

「な、何なんだ？　何者なんだ、あんた!?」

バスジャック犯が顔をゆがめて問い詰める。

ジョディは顔を近づけると、「Shhhh…」と人差し指を立てた。

「It's a big secret. I'm sorry, I can't tell you…（秘密よ秘密、残念だけど教えられないわ

…）A secret makes a woman woman…（女は秘密を着飾って美しくなるんだから…）」

英語で言われても意味が分からず、バスジャック犯は呆気にとられてしまう。

“A secret makes a woman woman”は、ベルモットが好んで口にするセリフだ。

ということは、ジョディの正体は、ベルモットなのだろうか？　ジョディは、バスジャック犯から奪った銃を握りしめると、

「Oh，降参ですねー♡」

と無邪気に笑った。

その時、新出に羽交い締めにされた富野が、自分の腕時計を見ながら、

「あ、ああ…」

と慌てた声を出した。

新出が「え？」と視線を向ける。

「逃げなきゃ、早く逃げなきゃ…。い、今の急ブレーキで時計をぶつけて起爆装置が動き出しちゃったのよ!!　爆発まであと30秒もないわよ!!」

「な、何じゃとォ!?」

阿笠博士が血相を変えて叫び、乗客たちは我先にと、乗降口のドアへと殺到した。


一方、警察は、バスの周囲を取り囲んで様子をうかがっていた。

「バスは急停止した後沈黙！　警部、突入しますか？」

佐藤刑事が、乗車口のドアの横にぴったりと張りつきながら、目暮警部に指示を仰ぐ。

『いや、応援が来るまで待て…』

目暮警部が答えた次の瞬間、いきなり乗車口のドアが開いた。

中にいた乗客たちが、ドワッと一気に飛び出し、バスから走って離れて行く。

「コ、コナン君⁉　どーしたの？」

逃げ惑う乗客の中にコナンの姿を見つけ、佐藤刑事は慌てて聞いた。

「爆弾があと20秒足らずで爆発するんだよ‼」

コナンの答えを聞き、佐藤刑事と一緒にバスを取り囲んでいた千葉刑事は「ええっ⁉」と声を裏返した。

突然の事態だが、佐藤刑事は瞬時に状況を理解すると、トンネルの方へと向かって走った。

「私はトンネル側の車を止めるから、千葉君は反対車線を！　あとの人は乗客をバスから遠ざけて!!」

「は、はい!!」

佐藤刑事の指示に従い、千葉刑事は反対車線へと走った。ほかの警察官たちも、機敏に対応して動き出す。

車内から出てくる乗客はすでにおらず、みんな少しでもバスから距離を取ろうと道路を走っていた。おそらく、車内に取り残された人間はいないだろう――警察はそう判断して、誰もバスの中を確認しようとはしなかった。

「あれ？　灰原さんは？」

歩美が、コナンに手をひかれて走りながら、ふと目を丸くする。

「そーいえば…」

と、光彦もあせって周りを見まわした。灰原の姿がない。

(ま、まさか…まさかアイツ…)

コナンはあせって、バスの方を振り返った。

灰原は一人バスの中に残り、爆弾が爆発するのを待っていた。

(そう…これが最善策…。この場は助かっても、事情聴取の時に否が応でもあの人と鉢合わせになる…。このまま私が消えたら、彼らから見た組織とみんなとの接点は消滅する…)

バスの中には、黒の組織の一員が確実に乗っていたはずだ。このまま事情聴取で顔を合わせたら、コナンや阿笠博士、そして少年探偵団たちを危険にさらしてしまう。

そうなる前に、灰原は自分の存在を消し去ることに決めたのだった。

(わかってたのにね…。組織を抜けた時から、私の居場所なんてどこにもない事はわかってたのに…)

頭に浮かぶのは、組織に殺された姉、宮野明美の顔だ。こんな自分のことを、姉もあきれて笑っている気がして、灰原は小さく苦笑いを浮かべた。

爆発までは、もうあと数秒もない。

(バカだよね、私…バカだよね、お姉ちゃん…)

ドン!!

突然、バスの後方で銃声が響いた。「え?」と振り返ると、銃弾が当たったらしいリアガラスが粉々に割れている。さらに、バスの乗降口から誰かが走って来て、灰原の腕をガッとつかんだ。

「あ…」

とっさのことに抵抗する間もなく、灰原は腕をひかれるまま、座席から引っ張り出された。

灰原の腕をつかんだのは、コナンだ。

コナンは灰原を抱きかかえるようにしながら、リアガラスめがけて飛び込んだ。銃弾が当たった場所はガラスがもろくなっており、コナンが体当たりしただけで簡単に砕けた。

バスの外へと飛び出した二人の背後で――

ドォン!!

爆弾が爆発し、バスは真っ黒い煙を上げて炎上した。

爆風に吹き飛ばされ、コナンは灰原の身体をかばいながら、ザッと地面に倒れ込んだ。

すぐに身体を起こし、ハアハアと荒い息をつきながら、炎上するバスの方を振り返る。

なんとか間一髪で、灰原を助けることが出来た。

もうもうと立ちのぼる黒煙を見つめるコナンの背後で、キッと車が停まった。降りて来たのは高木刑事だ。ちょうど現場に着いたところらしい。

「コ、コナン君？」

なぜここにコナンがいるのかと、高木刑事は不思議そうだった。

遠くから少年探偵団たちが、「コナンくーん!!」と名前を呼びながら、阿笠博士と一緒に走って来る。

コナンは灰原の方を手で指し示し、「この子ケガしてんだ！」と高木刑事に訴えた。

「博士やみんなと一緒に、病院に連れてってって!!」

「え？」

高木刑事が驚いて灰原を見ると、確かに灰原の太ももには、べっとりと血がついていた。

「事情聴取はボク一人で受けるからさ！」

「あ、ああ…」

高木刑事はうなずくと、灰原を病院に連れて行くため、「よっと！」と抱き上げた。このまま現場を離れれば、灰原や少年探偵団たち、そして阿笠博士も、バスの中にいた黒の組織の一員と顔を合わさずにすむだろう。

「逃げるなよ、灰原…」

コナンは、低い声で灰原に告げた。

「自分の運命から…逃げるんじゃねーぞ…」

灰原は抱きかかえられたまま、コナンと視線を合わせた。うなずくことはせず、そのまま黙ってコナンを見つめる。

高木刑事は、コナンが何のことを言っているのか分からず「？」と首を傾げている。

「さぁ早く病院に!!」

コナンは早口に高木刑事を急かした。早くしないと、バスの中にいた黒の組織の一員が、戻って来てしまうかもしれない。

高木刑事の運転する車が見えなくなるころ、ジョディが、

「Ohークールキッド!!」

とコナンのもとへ声をかけに来た。

「拳銃でガラスを割って女の子を助け出すなんて、まるでジェームズ・ボンドでーーす！」

「007は先生の方だよ！」

コナンはやんわりとほめ返した。

「犯人の足を引っかけて謝る振りして、トカレフの安全装置入れたんでしょ？」

バスジャック犯に足を引っかけて転ばせたあと、ジョディは英語で謝りながら、銃を握ったバスジャック犯の手を握りしめていた。あの時、こっそりとトカレフの安全装置を作動させていたのだ。

「Oh, Yes!　映画みたいにうまくできましたーー！」

目を輝かせるジョディに、コナンは「ハハ…」と乾いた笑いをもらした。

「でもよくわかりましたねー！　彼女がバスジャッカーの仲間だと…」

そう言うと、ジョディは千葉刑事に連れられて行く富野に視線を投げた。富野はガムをかんで座っていただけだったのに、どうやってバスジャック犯たちと連絡を取ったのだろう。

「風船だよ…彼女は風船ガムを膨らませて、バックミラーを見ていた犯人達に不審な行動を取る乗客がいるのを教えてたんだ…。風船が割れて口についたガムを取る手の左、右と、その指の数で、不審な乗客の座席の位置までね…」

きっかけは、バスの外に見えた風船だった。あの風船がヒントとなって、コナンは富野が共犯者だと気が付いたのだ。

ジョディが続けて聞く。

「じゃあ、どーして、彼女の時計が起爆装置だとわかったんですかー？」

「あの人、1:00で止まったままの時計をしてたからなんとなくね…」

富野がコナンの横を通った時、コナンは目ざとく時計の表示までチェックしていたのだ。

コナンの説明に納得しつつ、ジョディは「でもくやしいでーす！」と顔をしかめた。

「犯人のボスに逃げられちゃいました〜！」

「大丈夫だよ。策もなしに、牢屋に入れてた悪い人を警察があんな簡単に逃がすわけないもん！　きっとすぐに捕まるさ！」

釈放された矢島が捕まれば、これで一件落着だ。

離れた場所では佐藤刑事が、乗客たちに呼びかけていた。

「乗客の皆さーん！　事情聴取があるので車に乗ってくださーい！」

「あ、ボク達も行かなきゃ…」

そう言って、コナンは車に向かって歩き出そうとした。しかし、その顔にはあちこちに血がにじんでいて、服もすすだらけだ。

「傷だらけですけど、大丈夫ですかー？」

ジョディに心配され、コナンは「平気平気！」と元気よく答えた。しかし、突然横から誰かに腕をグッとつかまれて、「いつっ…」と顔をゆがめてしまう。

腕をつかんだのは、新出だ。新出がかがみこんでコナンの服の袖をまくると、そこにはべっとりと血がにじんでいた。

「やっぱり！　こんな大ケガしてるじゃないか!!」

そう言うと、新出は「無茶苦茶だな、君は…」とあきれた表情を浮かべた。

「あ、新出先生…」

「事情聴取は、ちゃんと治療を受けてからだよ？」

怪我を隠して平気なふりをしていたコナンだが、医者である新出の目はごまかせなかったようだ。念を押され、コナンは「あ、うん…」と苦笑いでうなずいた。

二人のやり取りを、ジョディは立ったまま、何かを探るような目つきで見つめていた。

そして、もう一人――赤井秀一も同じように、「………」と無言で、コナンたちのことを見つめていた。


高木刑事の運転する車は、ファン、ファン、ファン……とサイレンを鳴らしながら、病院へと向かっていた。

後部座席に座った光彦は、隣に座る灰原の太ももをちらりと見やった。血がたくさんついていて、すごく痛そうだ。

「い、痛くないんですか？　灰原さん…」

おそるおそる聞くと、歩美も、

「足からいっぱい血が出てるよ？」

と、心配そうな表情を浮かべた。

「大丈夫よ…これ、私の血じゃないもの…」

灰原が答えると、歩美は「え？」と首を傾げた。

（そう…これは私をあの場から遠ざけるために彼がつけた、彼の血…）

灰原は、足についた血をじっと見つめた。本当に怪我をしているのはコナンの方なのに、
コナンは灰原を病院に行かせるため、高木刑事に嘘をついたのだ。

――自分の運命から…逃げるんじゃねーぞ…。

コナンに言われた言葉が、頭の中によみがえる。

（どうやら貸し、返されちゃったわね…工藤君…）

心の中で語りかけ、灰原はかすかに微笑した。

「早く乗ってくださーい！」

佐藤刑事に誘導され、乗客たちは事情聴取を受けるため、次々と車に乗り込んだ。

赤井秀一は、車から離れた場所へとさりげなく移動すると、手の中に隠した録音機の電源を入れた。

「2月23日、不測の事態により追尾続行不能…標的は現れず…。後日改めて調査を再開する…以上…」

低い声でささやき、自分の声を記録すると、赤井はカチッと録音機の電源を切った。

赤井の言う「標的」とは、誰のことだろう。赤井秀一とは何者なのか？

そして――灰原がバスの中で感じていた、黒の組織の匂いをまとっていたのは、一体誰だったのだろうか？

黒(くろ)ずくめの組織(そしき)と真(ま)っ向勝負(こうしょうぶ) 満月(まんげつ)の夜(よる)の二元(にげん)ミステリー

DETECTIVE CONAN

SHŪICHI AKAI SELECTION

毛利探偵事務所に、一通の招待状が届いた。

ぱりっとした白い封筒はに、外国人らしき名前がアルファベットで書かれている。中に入っていた手紙には、毛利小五郎を季節外れのハロウィンパーティーに招待する、とあった。

「季節外れのハロウィンパーチィ？」

夕食の席で、蘭から招待状のことを聞かされ、小五郎はあきれて眉をひそめた。

「今、何月だと思ってんだ？　ハロウィンは10月31日だぞ!?」

「だから頭についてるでしょ？『季節外れの』って……」

蘭が手紙を見ながら言うと、小五郎は「んで？」とうさんくさそうに続きをうながした。

「何て書いてあんだ？　その招待状……」

「えーっと、手紙には……」

蘭は手紙に書かれていた文面を読み始めた。

「む、無能な探偵毛利小五郎殿…。来たる満月の夜、貴公をこのおぞましき夜会に招待しよう…血塗られた船上パーティーに…。無論、貴公の出欠に関わらず、死に逝く哀れな小羊は自らの運命を呪い…罪人はその断末魔に酔いしれる事になるであろうが……」

無能な探偵毛利小五郎殿、とは、かなり失礼な書き方だ。

小五郎は、ひたいに青筋を浮かべ、「ハッハッハァー!!」と無理やり笑った。

「この名探偵、毛利小五郎様に対する挑戦状ってわけか…。いったいどこのどいつだ？　んなの、よこしたのは？」

「外国の人かなぁ？　アルファベットで書いてあるから…」

蘭は、封筒に書かれていた差出人の名前のスペルを読み始めた。

「Ｖｅｒｍｏｕｔｈ…」

そのまま英語読みすると——

「ヴァ、ヴァームース？」

蘭は阿笠博士に電話をかけ、ヴァームースという名前の人物に心当たりがないか聞いてみた。しかし、阿笠博士は『ヴァームース？』と聞くなり、首を傾げてしまった。

『さあ…すまんが蘭君、ワシはそんな名前聞いた事ないよ…』

「そっか…誰だろ？　こんな招待状送って来たの…」

蘭の周りに、ヴァームースという名前に聞き覚えのある人はいなかった。招待状を送って来た人物は、一体何者なのだろう。

『それで、毛利君は行くのか？　その夜会に…。明日なんじゃろ？』

「うん…。売られたケンカは買うのが江戸っ子だって言って……。お父さん、今、それに備えて園子に色々メイクしてもらって、どれで行くか悩んでるよ…」

蘭は、ちらりと振り返った。小五郎は、まぶたを厚ぼったくして、こめかみとおでこに大きな傷跡を描いた、フランケン風のメイクを試しているところだ。園子は自信満々の表情だが、小五郎は鏡をのぞいて首を傾げている。

『メイク？』

なんのことか分からず、阿笠博士が不思議そうに聞く。

「この招待状に書いてあるのよ…。ハロウィンパーティーだから、参加者は全員化け物に仮装し、黒いスーツか黒いドレスで正装して来るようにって…。もちろん同伴者も…」

『ど、同伴者って事は……蘭君も一緒に行くのか？』

「行くわけないじゃない!! そんな化け物のパーティーなんかに!!」

蘭は声を大きくして、勢いよく否定した。実は蘭は、すっごく怖がりなのだ。特に幽霊やオバケは大の苦手なので、化け物に仮装した人でいっぱいのパーティーになんて、絶対に行きたくない。

「そりゃそうか…」

阿笠博士が納得してつぶやくと、蘭は「あ、それでね」と続けた。

「博士にちょっと頼み事があるんだけど…」

『ん？』

「ウチのお父さんの所に来たって事は、もしかしたら…アイツの所にも…来てるかもしれないから……」

『ああ…新一君の所にか…』

阿笠博士が察して言うと、蘭は「うん…」とうなずいた。

「だから、郵便受けのぞいてくれる？　そーいうの、メールでちゃんと教えないと、アイツ後でブーブー言うから…」

『あ、ああ…来ていたら折り返し連絡するよ…。まあ、来てないとは思うがのォ…』

そう言いながら、阿笠博士は、すぐ近くにいるコナンを横目で見た。コナンの手には、小五郎が受け取ったのと同じ、季節外れのハロウィンパーティーへの招待状が握られている。

蘭が心配していた通り、新一宛にも、同じ招待状が届いていたのだ。

「あ、それと、この事、コナン君に内緒にしてて…」

蘭が言い、阿笠博士は『え？』とすぐさま聞き返した。

「あの子、こーいう所に行くと、すぐに危ない事に首つっこんじゃうから…。それに…」

蘭はそこで一度言葉を切った。

心配しているのは、蘭の通う高校に新しくやって来た、英語教師のジョディ先生のことだ。この間、ジョディ先生の家に行った時、蘭は気になるものを見つけたのだ。それは、洗面所の鏡の裏側に隠すように貼られていた、新一やコナンの写真。それも、明らかに隠し撮りされたアングルだった。

『それに、なんじゃ？』

阿笠博士に先を促され、蘭は「あ、うん…」とあいまいにうなずいた。迷ったが、写真のことは言わないでおくことにした。考え過ぎかもしれないのに、余計なことを言って心配させたくなかった。

「あさってから小学校始まるから、ちゃんとウチに帰って来てねって伝えてね…。それまでウロチョロ出歩かないようにって…」

『ああ、わかった…』

阿笠博士が電話を切ると、灰原は、隣にいるコナンに「で？」と聞いた。

「あなたも乗る気？　その幽霊船に…」

灰原とコナンは、阿笠博士のそばにいて、電話の内容を聞いていたのだ。灰原は風邪を引いているらしく、ソファの上でクッションにもたれかかり、身体にブランケットをかけ、顔にはマスクをつけていた。時折コホコホと咳をしている。

コナンは、招待状に書かれた差出人をしげしげと観察しながら、「ああ…」とうなずいた。

「差出人の名前が引っ掛かるからな……」

「心当たりがあるのか？」

阿笠博士に聞かれ、コナンは灰原に視線を投げた。

「それがあるのは灰原の方じゃねーのか？　ヴァームースは、ウォッカやジンと同じ酒の名前だからな…」

「さあ…聞いた事ないわね…。私、お酒に詳しくないし…」

「イタリアで生まれた酒さ、ヴァームースは英語読み…日本じゃ、こう呼ばれてるよ…

――Ｖｅｒｍｏｕｔｈ」

コナンがその名を口にした途端、灰原はハッとして顔を上げた。目を大きく見開き、

「………」と無言でうつむいてしまう。

灰原の反応を見て、コナンは「やっぱりな…」とつぶやいた。

「その顔は、聞き覚えのある名前…黒ずくめの仲間のコードネームってわけか……」

「じゃ、じゃあ、その招待状は!?」

阿笠博士が動転して詰め寄る。

「ああ…奴らの仲間のベルモットさんからのお招き、ってわけさ……。用意万端整えたか、痺れを切らしたかはわからねーが…こいつに乗らねー手はねぇよ……」

黒の組織との接触を望んでいたコナンにとって、これは願ってもないチャンスだ。たとえ罠だとしても、行かないわけにはいかない。

しかし、灰原は「ダメよ…」ときつい口調で反対した。

「行っちゃダメ!!　止めなさい!!　これは罠よ!!　行ったら殺さ…」

急に大きな声を出したせいで、灰原は途中でゴホゴホ…と咳き込んでしまった。

「…ああ、かもしれねーな……」

コナンが認めると、灰原はなおも言い募った。

「だったら…だったらどうし…て…」

プス!

話の途中で、コナンは灰原に麻酔針を撃ち込んだ。灰原は、ソファにもたれかかるようにして、即座に眠り込んでしまう。

「お、おい、新一君⁉」

あわてる阿笠博士を後目に、コナンは灰原の肩を支えると、ソファの上に置いた枕へと寝かせ直した。

「悪いな、灰原…。このままじゃ…一歩も前に…進めねーんだよ……」

静かに声をかけながら、ずれたブランケットを肩の上までかけ直してやる。

「じゃ、じゃが、哀君を残して君がここを離れるのは…」

「見ろよ…オレの家に届いたこの招待状の宛名を……。封筒と招待状は工藤新一だが…一緒に入ってた手紙の出だしは…」

コナンに手紙を渡され、目を通して、阿笠博士は「⁉」と息をのんだ。

「し、親愛なる…え、江戸川コナン様…⁉」

「バレちまってんだよ、オレの正体が…。ＡＰＴＸ４８６９で体が幼児化した工藤新一だって事がな……。そして、恐らく灰原が元組織の一員のシェリーだって事も…」

コナンの正体がベルモットにバレている——想定外の事態に、阿笠博士は面食らいながらも、

「し、しかし、おかしいじゃないか⁉」

と反論した。

「そこまでわかっているのなら…何で奴らはここに殺しに来ないんじゃ⁉」

「さあな…。その理由はわからねーけど…その原因の一つなら…何となくわかったような気がするぜ…」

そう言って、コナンは招待状に書かれた「Vermouth」の文字を見つめ、ゴホゴホと咳き込んだ。

「お、おい…まさか哀君の風邪が…」

阿笠博士が心配して言いかけるのと同時に、コナンのポケットの中から、ブルル、ブルル、と振動音がした。

コナンは、携帯電話を取り出して、通知を確認した。

「ん？　電話？」

不思議そうにする阿笠博士に、コナンは軽くウインクを返した、そして、シッ、と人差し指を立てるジェスチャーをする。

(え?)

何も言うなということだろうか。阿笠博士はきょとんとしてしまったが、コナンは構わず携帯電話を操作して、メッセージアプリを開いた。

阿笠博士が、不思議そうに首を傾げる。

コナンが受け取ったのは、ハートの絵文字が「OK」の形に並んだ、奇妙なテキストだったのだ。阿笠博士には意味が分からないが、コナンは何やら、満足げな表情だ。

携帯をしまうと、コナンは、

(残る問題は…)

と、窓の外から見える工藤邸に視線を投げた。

実は、阿笠博士の家は盗聴されていた。

盗聴器を仕掛けたのは、黒の組織の一員、ベルモット。ハロウィンパーティーの招待状をコナンと小五郎に送った張本人だ。

コナンが灰原や阿笠博士と話している間、ベルモットはずっと、会話を聞いていた。

『このままじゃ…一歩も前に…進めねーんだよ……』

灰原を眠らせたコナンがそうつぶやくのを聞きながら、ベルモットは、口にくわえていたタバコを吸ってフーッと煙を吐き出した。

そのころ。

橋の上を、一台の古いドイツ車が走っていた。左ハンドルを握るのはジン。右側の助手席にはウォッカも乗っている。「ドイツのアマガエル」ことポルシェ356Aは、ジンの愛車なのだ。

「ハロウィンパーティー…ですかい？」

ジンからパーティーについて聞かされ、ウォッカは眉根を寄せた。

「ああ…。明晩19時、横浜でおっ始めるそうだ…」

「け、けど兄貴…何で俺がそんなふざけた場所に……」

ウォッカはジンから、ハロウィンパーティーに参加するよう指示されている。しかし、どうしてわざわざ仮装までしてそんな場所に行かねばならないのかと、いぶかしんでいるのだった。

「ベルモットが一枚噛んでいる…」

ジンが苦々しげにつぶやき、ウォッカは驚いて「え？」と聞き返した。

「内情を探れとの命令だ…。こっちもあの女の秘密主義にはうんざりしていたところだからな…。許可は受けてねぇが、妙な真似をしやがったら容赦はするな…」

そう言うと、ジンは冷たく研ぎ澄まされた視線をウォッカに向けた。

「たとえあの女が…あの方のお気に入りだとしてもな……」


コナンは阿笠博士の家を出て、工藤邸の様子を調べに来ていた。

すでに夜になり、辺りはすっかり暗くなっている。腕時計型ライトで照らして、玄関の横にある水道のメーターを確認する。すると、昼間に見た時よりも数字が増えていた。

（おかしい…）

念のため、ガスや電気のメーターも確認してみる。すると、こちらも同様に、少しだけ増えていた。

（やっぱりおかしい…。昼間、郵便受けをのぞいた時と比べると…わずかだが水道もガスも電気もメーターが動いてやがる…）

コナンはそっと玄関の扉を開けた。

（誰かいる…この中に…）

するりと身体を滑り込ませ、後ろ手に扉を閉める。この家のどこかに侵入者がいるのかと思うと、否が応にも緊張した。

（フン…オレと灰原を監視するには絶好の場所だったってわけか…）

コナンはキック力増強シューズの出力を上げ、腕時計型麻酔銃で暗闇を照らした。足音を殺して、暗い廊下をゆっくりと進む。

（二人までなら倒せるが…三人いたらどうする？）

自問しながら、階段の上を照らす。

二階に人がいる気配はないようだ。

（落ち着け…メーターの動きの量からすると、いるのは一人かせいぜい二人…それに…。

わずかだがもう一つの可能性も…）

警戒したまま廊下を進み、部屋の扉をそっと押し開ける。

すると――扉の陰に、銃を構えた人物が潜んでいた。

（な!?）


翌日の夕方。

ハロウィンパーティーの会場となる幽霊船が、横浜の港に停泊していた。いかにもモンスターやゴーストたちが乗っていそうな、古びたボロボロの帆船だ。

港に到着した小五郎は、園子とともに、乗船のための列に並んだ。前後に並んでいる招待客たちは、みんな仮装をしている。

「うひゃー、いるいる!! 狼男に、フランケンに…ミイラ男…モンスターでいっぱいだ…」

周囲の客たちを見まわし、小五郎ははしゃいだ。そう言う小五郎も、バンパイア風の夜会服を着てしっかり仮装している。ドーランを塗って顔色を悪く見せ、特殊メイクで耳まで尖らせていた。

「ホント！ わくわくしちゃう♡」

楽しそうに声を弾ませる園子に、小五郎は「でもいいのか？」と聞いた。

「鈴木財閥の御令嬢がこんな連中に紛れてても…」

「いいって、いいって！ 蘭と違って、割とこーいうの好きだから!!」

「ところでお嬢さん？ 一体何の化け物に？」

小五郎に聞かれ、園子が不満げに顔をしかめた。

「失礼ねー、魔女よ魔女！ ちゃんとホウキ持ってるでしょ？」

と、手に持った竹ぼうきを見せる。今日の園子は、とんがり帽子に黒いミニワンピとニーハイブーツを合わせ、魔女の仮装をしているのだった。

その時、後ろに並んでいた、モンスターの仮装をした男が、

「ウガ、ウガッ」

と、突然小五郎に声をかけてきた。小五郎は「え!?」と驚き、固まってしまう。モンスターは「ウガガ…」と言いながら、しきりに小五郎の前を指さした。

「あ、列の前が空いたから詰めろってコトね…」

小五郎が察して、列を詰める。園子も前に進みながら、モンスターの方を振り返り、

「ちゃんと口で言えばいいのに…」

とあきれてつぶやいた。すると、近くに並んでいた女性が、

「自分が扮装しているモンスターになりきっているのよ…」

と、教えてくれた。

つばの広い帽子をかぶった、すらりとした雰囲気の女性だ。

「うひょー、こりゃーお美しい魔女さんですねー♡」

小五郎が言うと、女性は「ありがとう…」とお礼を言いながら、帽子のつばに手をかけた。

「でも…魔女じゃなくってよ…」

そう言って、帽子を取る。

帽子の下から現れたのは、髪の毛ではなく、たくさんのヘビだ。

「メ、メデューサ⁉」

小五郎は口をあんぐりと開けて驚いた。メデューサとは、頭からたくさんのヘビを生やした伝説上の怪物だ。その目で見たものを石に変える能力を持つと言われている。

「石にしちゃうわよー♡」

女性がおどけて言う。

と、その時、乗船の受付をしていたスタッフが、

「次のお客様〜！　招待状をー！」

と小五郎に声をかけた。ようやく小五郎たちの順番がまわってきたらしい。

「あ、はいはい‼」

小五郎は慌てて、園子と一緒に受付の前へと進んだ。持参した招待状を差し出すと、受付をしていた二人のスタッフは、「おお！」と声をそろえ、芝居がかった動作で眉を上げ

た。

「これはこれは、名探偵の毛利小五郎様でございますね！」

「あ、バレました？」

嬉しそうに照れる小五郎に、

「招待状に名前が書いてあるでしょ？」

と、園子がすかさず突っ込みを入れる。

「では御記帳を…」

スタッフに促され、小五郎はペンを取った。

「毛利小五郎っと……」

小五郎は名前を書くと、口元に手を添え、声をひそめた。

「ところで…まさか、本当に殺ったりはしねーだろーな？」

「は？」

怪訝そうにするスタッフに、小五郎は、招待状と一緒に送られてきた手紙を見せた。

「ホラ、招待状と一緒に入れてただろ？　犯行をほのめかすこの手紙を…」

スタッフはぽかんとして手紙を確認すると、不思議そうに首をひねった。

「招待状は確かに私共が作った物ですが…このような手紙や封筒は存じ上げませんけど…」

「え？　そうなの？」

「パーティー中に犯人当てゲームがあるのは確かですが…」

それでは、この手紙は一体誰が用意したのだろう。小五郎はわけが分からず「はぁ…」とあいまいな相づちを打った。

「では、船の中でお待ちください…」

スタッフが船の入り口に接続されたタラップを指さす。

小五郎は、まだ「？」と不思議そうにしていたが、

「ホラ、おじさん早く行こ！」

と、園子に引っ張られ、船へと乗り込んでいった。

小五郎と園子が列を離れると、スタッフは、

「次のお客様～！」

と、列に向かって呼びかけた。

コツコツと足音を鳴らして歩いて来たのは、黒いスーツにネクタイを締め、コートを羽織った男性だ。顔中、包帯でぐるぐる巻きにして帽子をかぶっているので、どんな顔をしているのかは分からない。

差し出された招待状の宛名を見て、女性スタッフは「え？」と目を丸くした。そして、記帳する男の顔を、「……」と放心して見つめると、じわじわと嬉しそうな顔になって聞いた。

「あ、あなた、もしかして…高校生探偵の…」

工藤新一。

それが、男が書いた名前だ。

無言でペンを置く男の姿を、先ほどのメデューサが満足げに見つめていた。

コナンによって眠らされた灰原は、ほとんど一日眠り続けてようやく目を覚ました。どうやら眠っている間に、地下にある阿笠博士の研究室のソファへと運ばれていたらしい。ひたいに冷たいタオルをのせられ、身体にはブランケットがかかっていた。

むっくりと身体を起こす。

一階の方から、阿笠博士とコナンが話す声が聞こえてきた。

「しかし大丈夫かのォ…哀君をあのまま放っといて…」

「ああ…部屋も暖かくしといたし……食料も水も置いといたし、問題ねーよ…。それより、新しく作った博士のゲーム、やらせてくれよ！」

「おお、やってみるか？」

二人の声が聞こえてくるということは、コナンと阿笠博士は家の中にいるのだろうか？

灰原は、コホコホと咳をしながら、立ち上がった。

コナンの言うように、部屋の中は快適な温度に保たれていた。壁際にはヒーターが置かれ、その横では加湿器が稼働している。

灰原は、ガラッと机の引き出しを開けて、中身を確認した。

(引き出しの中の物の配置が…微妙に動いてる…。探したのね…)

納得して、またコホコホと咳をしながら引き出しを閉める。

(たった一人で…彼らと対決するために…)

集まった招待客全員の受付が終わると、幽霊船では、早速ハロウィンパーティーのオープニングが始まった。姿を見せたのは、海賊の帽子をかぶったガイコツ男だ。

「オオオ…冥府魔道をさまよう、禍々しき怪物共よ…。我が幽霊船、シーファントム号へよくぞ参った……。我は、この船の舵を取る亡霊船長…キャプテンゴールドだ…」

亡霊船長が、おどろおどろしい低い声で言う。

どうやら彼が、パーティーの主催者らしい。

「宴まであと一時間…。まずは運命を共にする同志を捜したまえ……。同じ刻印を授かった七人を…」

「同じ刻印？」

不思議そうにする小五郎に、園子は受付でもらったカードを見せた。

「タロットカードよ！　おじさんも船に乗った時にもらったでしょ？　きっと、同じカードをもらった人とチームを組んで、ゲームか何かやるんじゃない？」

「ああ…このXVって書いてある山羊のカードか……」

小五郎はごそごそと自分のカードを出した。大きなツノをした、おどろおどろしい山羊の絵が描かれている。園子も同じカードをもらったようだ。

「んじゃ、オレ達は山羊さんチームってか？」

シラけて言う小五郎に、

「山羊じゃなくてよ…」

と、メデューサの仮装をしたあの女性が声をかけた。手には、小五郎と園子と同じカードを持っている。

「XVは15で、カード名は『THE DEVIL』………悪魔よ…」

「あ、そうっスか…」

悪魔と聞くと、急にカードの絵柄が不気味に見えてきてしまい、小五郎は顔をひきつらせた。

「それに、チームに分けたのは、ただゲームをするためだけじゃないわ…」

メデューサが会場を見渡しながら言い、園子は「え？」と聞き返した。

「このパーティーは映画のオーディションも兼ねているのよ…」

「オーディション？」

園子がきょとんとする。

「知ってるでしょ？　毎年やってる『亡霊船長の航海記』っていう映画…」

メデューサが説明すると、小五郎は「ああ…」と納得したようにうなずいた。

「悪い事をした人間の所に、怪物がうじゃうじゃ乗った幽霊船がやって来るっていう、お化け映画ですな！」

「じゃあ、うまくすればわたしもあの映画に出られるの？」

園子がとたんに嬉しそうな顔になる。

メデューサは「ええ…」とうなずいた。

「このパーティー、今年で四回目らしいけど…毎年、この中に映画スタッフが混ざってい て、じっくり審査してるみたいよ…」

「へ――…」

園子が相づちを打ち、小五郎は「なるほど…」と楽しげに船内の客たちを見まわした。

「人気のある怪物は重複するから、チームに分けて選びやすくしてるってわけか…」

「だからみんな自分をアピールしてるでしょ？　月に向かって吠える狼男…ロボットのよ うなパントマイムをするフランケン…何を聞かれても沈黙を守り通すミイラ男…」

メデューサは、船内のモンスターたちへと順番に視線を投げた。

狼のかぶり物をした男は、船内の窓から月を見上げては、「アオオオン！」と録音され た鳴き声を流している。フランケンは、ギギと機械のように不気味な動きのパントマイム を続け、ミイラ男はほかの招待客にどれだけ話しかけられても、ひたすらに無言を貫いて いた。

「まあ、出演できるって言っても、主役モンスターの後ろで蠢く脇役…。そんな人達までメイクしてたらお金がかかるから、映画に出たがってるホラーファンに自慢の仮装と演技でただで出てもらおうってわけよ！」

そう言うと、メデューサは、主催者の亡霊船長へと視線を送った。

「それに、映画で使ってるこの幽霊船でイベントをやれば、映画の宣伝になるしね…」

船の上の招待客たちは、同じカードを持っているモンスターを探して、あちこち歩き回っている。

亡霊船長は、低い声で告げた。

「さあ者共、出航の時は来た…。七つの海を渡り、愚かで傲慢な人間共に…我らが力、思い知らせてくれようぞ!!」

そう言って、ぐっと拳を握りしめる。

招待客たちは、いっせいに「オオオオ！」と盛り上がって、片腕をつき上げた。

「え？　この船出るの？」

小五郎は、周りのテンションに付いて行けず、あ然としてしまった。

てっきり港にずっと停泊しているものだと思ったのに、まさか出航するとは――

幽霊船は横浜を出港し、夜の海へと乗り出した。

広いパーティー会場の片隅では、運営スタッフの若い女性たちが、何やら集まって噂話をしていた。話題は、受付に現れた包帯の男についてだ。

「ええっ？　工藤新一!?　あの高校生探偵がこの船に乗ってるの？」

受付をしていた女性から、工藤新一がこの船に乗っていると知らされて、女性スタッフたちは声を弾ませた。

「うん！　死んだなんて噂、デマよデマ!!」

受付をしていた女性が言うと、女性スタッフたちは一気にテンションを上げた。

「すっごーい、私、超好き!!」

「で？　で？　何の仮装してた？」

「包帯巻いてたから、ミイラ男じゃない？」

受付をしていた女性が答えると、ほかの二人は、

「ミイラ探偵ね♡」

と、ますますはしゃいだ。

招待客の中に、工藤新一がいる――そんなスタッフたちの噂話を、立ち聞きしている男がいた。ゾンビの仮装をした、がっしりとした体格の招待客だ。

「………」

ゾンビ男は無言で、スタッフたちの会話に耳を傾けた。


小五郎は、園子とメデューサ以外に悪魔のカードを持っている四人の仲間を見つけることが出来た。

全員で悪魔のカードを出し合い、間違いがないことを確認すると、

「おお、七人そろいましたな…」

と、小五郎は四人の顔を順番に見つめた。

悪魔のカードを持っていたのは、小五郎と園子、メデューサと、月に向かって吠えてい

た狼男、パントマイムを続けていたフランケン、無言を貫くミイラ男、そして受付で工藤新一の名前を書いていた包帯の男だった。

「えーっと、呼び方は狼男さんと、フランケンさんと、ミイラ男さんに…」

小五郎は、工藤新一の名前を書いていた男に視線を移すと、

「…『ミイラ男さん、その2』って事でいいっスか?」

と、聞いた。彼も体中を包帯でぐるぐる巻きにしていたので、ミイラ男の仮装をしていると思ったのだ。

しかし、男は「チッチッチッ」と指を振ると、いきなりガシッと園子の手を握った。

「え?」

園子がとまどった次の瞬間、男の手首に巻かれた包帯がシュルシュルとほどけていった。

しかし、包帯の下にあるはずの手首がない。

「きゃっ」

驚く園子の隣で、小五郎が、

「なるほど、透明人間ってわけね…」

と納得する。

透明人間は再び包帯を巻いて手首を隠すと、ニッと笑い、さりげなくサングラスをかけて、目元を隠した。

ミイラ男は、そんな透明人間の様子を「………」と見ながら、携帯を操作してどこかへ連絡を入れている。

妙なメンバーばかりだが、ともかくこれで、悪魔の絵を持っているメンバーは全員そろったようだ。

「さて、この七人でいったい何をやるのかしら？」

メデューサに聞かれ、小五郎はあごに手を当てて「ウーン…」となった。

「犯人当てゲームだと言ってたが…」

一方そのころ、阿笠博士の家では、電話が鳴っていた。

トゥルル…、トゥルル…

いつの間に地下の研究室を出たのか、電話を取ったのは灰原だった。まだ風邪が治りきらないらしく、マスクをつけている。

「はい、阿笠ですけど…」

『夜分すみません、新出です…』

電話から聞こえてきたのは、新出智明の声だった。新出は、新出医院で働く二十五歳の男性医師で、蘭たちの通う帝丹高校の校医もしている。以前とある事件に居合わせたことから、コナンや灰原とも知り合いだ。

『博士は…?』

新出に聞かれ、灰原は「いないわよ!」と不機嫌そうに答えた。

「江戸川君と、どこかに出掛けたんじゃないかしら…」

そう言う灰原の背後からは、『どうじゃ、今回のワシのゲーム、イケてるじゃろ?』という、阿笠博士の声が聞こえてくる。

『あれ? でも声が…』

新出は不思議そうに聞いた。

「ああこれ…テープの声よ…。何のイタズラか知らないけど、随分前からずっと流れて……」

灰原は背後の棚の上に置かれたラジカセに視線を向けた。スピーカーからは、『ああ、傑作だぜ！』『じゃろ、じゃろ？』と、コナンと阿笠博士の録音された会話が流れてくる。コナンがハロウィンパーティーに行ったと分かれば灰原が心配するので、地下室にいる灰原にこの会話を聞かせ、家の中にいるように思わせようとしたのだろう。

「それより何の用？」

『実は君に用があったんだけど…。ホラ、君の風邪なかなか治らないから、設備が整った病院で一度診てもらおうと思ってね…。知り合いの医者に聞いたら、今晩なら丁度都合がいいらしいんだ…』

新出は、灰原を心配してわざわざ問い合わせてくれたらしい。

『急な話で悪いけど、今から迎えに行っていいかな？　博士には後でこっちから連絡しておくから…。まあ無理にとはいわないけど…』

「ええ…構わないわ……」

ラジカセから流れて来る音声を止めると、灰原はあっさりと了承した。

「勝手な事されて頭に来てたし…。一人で留守番も退屈だしね……」

幽霊船の中では、まだ多くの招待客が右往左往していた。

「死神のカード、お持ちの方〜!!」

「隠者！　隠者のカード持ってるヤツ、どこだ〜〜〜!?」

と、自分と同じカードを持つ人間を探して声を張り上げている。小五郎たちは、幸いにもすぐに悪魔のカードを持つメンバーをそろえることが出来たが、苦戦しているグループも多いらしい。

「やったー、やっとそろった…」

ようやく七人そろって喜んでいるグループを、小五郎は「フン…とろい奴らめ…」とバカにして見やった。

「ねえ、狼男さんとフランケンさんとミイラ男さんの姿が見えないけど…」

園子が、会場をきょろきょろと見まわしながら言う。

「トイレじゃねぇか!?」

小五郎がどうでもよさそうに言った。透明人間は、相変わらず無言だ。

「捜しに行ってみる？　そろそろ宴も始まりそうだし…」

メデューサの提案で、四人はトイレの中を捜しに行くことにした。

船内のトイレをのぞきこみ、小五郎はぎょっとして「うへ～」とうめいた。

「なんてトイレだ!!　薄暗くて、蜘蛛の巣だらけで、おまけに鏡まで割れてやがる…」

「男女共用だし……」

園子がゲンナリして付け足すが、メデューサは気にしてないようで、

「どーせみんな怪物…男も女も関係ないって事でしょ？」

とあっさりした反応だ。

確かに、トイレは廃墟のようだった。照明も薄暗く、洗面台の前の鏡は粉々に割れてい

るので、前に立っても全く顔が映らないほどだ。

フランケンは、洗面台の前にかがみこんで手を洗っていた。

「あ、フランケンさん!! 捜したんっスよ!!」

小五郎が声をかけるが、フランケンは顔をあげない。それどころか、

「…取れない…手についた血…洗っても洗っても取れない…」

と、何度も何度もつぶやいている。どうやら演技をしているらしい。

「おいおい、トイレの中でまで、なりきりかよ…」

小五郎がボヤく。

園子は、トイレの中に向かって声をかけた。

「あのー狼男さんとミイラ男さんはいますかー?」

アオオオン!

園子の呼びかけに答えるかのように、トイレの個室で叫び声があがった。

「え?」

とまどう園子の目の前で、バン! と個室のドアが開く。そして、すごい勢いで、狼男

が中から出て来た。

「あ、いた…」

園子は狼男に声をかけようとしたが、狼男は腕時計を見ながら、ダッとトイレから走って行ってしまった。

「何だありゃ？」

タタタ…と走って行く狼男の姿を、小五郎はあ然として見送った。

一体どうしたのかと首を傾げつつ、小五郎たちは狼男のあとを追った。

狼男は、バーカウンターに座り、一人でカクテルを飲んでいる。小五郎は狼男の肩にぽんと手を置いた。

「よォ大将！　どうした？　何かやな事でもあったか？」

気安く声をかけると、狼男の隣に腰を下ろし、バーテンダーに飲み物を注文する。

「バーテンさん！　オレもこいつと同じヤツ頼むよ…」

「シルバー・ブレットでございますね…」

カウンターに立ったバーテンダーが、礼儀正しく言う。

メデューサも来て、

「じゃあ私、ホワイトレディお願い……」

と、自分のお酒を頼みながら、小五郎の隣の席に腰を下ろした。

ところが、狼男は、自分のグラスを手に取って立ち上がると、そのまま席を離れて行ってしまった。

「お、おい…」

小五郎が慌てて声をかけるが、狼男は振り向きもしない。かと思えば、「アオオン！」と鳴き声をあげながら、きょろきょろと会場の中を見まわし始めた。

「ん？　誰か捜してんのか？」

狼男の様子を見て、小五郎は首を傾げる。

「でもどこに行っちゃったんだろ？　ミイラ男さん…」

園子が辺りに視線を巡らせるが、ミイラ男の姿は見つからなかった。

「そろそろ時間ね…」

メデューサが、腕時計を見ながら言う。

すると、ちょうどタイミング良く、船内の明かりがフッと消えた。天井に設置されたスピーカーから、亡霊船長の声が流れてくる。

「聞け…怪物共よ…。おまえ達に、いい知らせがある…。宴の肴が決まったよ…。どうやら、この魔界のパーティーに…醜くもなく、魔力も持たぬただの人間が混じっているようだ…」

亡霊船長の言葉を聞き、招待客たちは「ウガッ」「キキイ」とそれぞれの仮装に合わせた雄叫びをあげ始めた。

「さあ、同志七人と手を組み、その愚か者を見つけ出し、肉を貪り、腸をかき出し、血を一滴残らず飲み干すのだ…。その者を暗示するキーワードなら私が握っている…。褒美の宝を貰いたくば…甲板に出て我が啓示を…」

亡霊船長の言葉はそこで途切れた。招待客たちは、会場を飛び出し、いっせいに甲板へとなだれこんでいく。スピーカーからは、「うっ、が…」と亡霊船長の苦しんでいるようなうめき声が聞こえていた。

集団に交じって甲板に出た小五郎は、帆の張られたマストを見て「え？」と目を見開いた。

マストには、ロープを編んだ網が張られている。その網には、亡霊船長が頭を下にした状態で、つり下げられていた。

「ぼ、亡霊船長!?」

宙づり状態の亡霊船長に気付き、モンスターたちは「ウガァ」「アォオン」「ギィイイ……」とそれぞれの反応で驚いた。

「こりゃまた派手な演出だねぇ…」

圧倒されてつぶやいた小五郎の頬に、ピッと水滴が落ちてきた。「ん？」と視線を向けると、血だ。血は、甲板の上にもポタポタと落ちている。

メデューサは、甲板の上の血に指で触れると、

「これ、本物の血よ…」

とつぶやいた。透明人間も、しげしげと血の跡を観察している。

「早く！　誰か早く彼を降ろして！」

メデューサが叫び、招待客の何人かがマストの方へ歩み寄った。

だがそれと同時に、亡霊船長の身体が網から外れ、甲板の上へと落下した。

ドシャ！

「キャアアア！」

甲板に悲鳴が響く。

落ちて来た亡霊船長の胸は、矢のようなものに貫かれていた。そして、その矢羽の根元には、小五郎たちに配られたのと同じ悪魔のカードが刺さっていた。

ピンポーン、ピンポーン、ピンポーン
立て続けにチャイムを鳴らされ、灰原は上着を着ながら「はいはい…」と玄関に向かった。おそらく、新出が迎えに来たのだろう。
念のためチェーンをかけたままドアを開け——灰原は、固まった。

そこに立っていたのは、新出ではなく、ジョディだったのだ。

灰原はとっさに身体を引き、ドアを閉めようとした。ジョディが、閉まりかけたドアをガッとつかむ。

「Oh Sorry! 驚かせてごーめんなさーい…」

ドアの隙間から顔をのぞかせ、ジョディは笑顔で語りかけた。

「私はDr新出が担当してる帝丹高校の英語教師！ 彼の車、故障中ね！ だから私、代わりに迎えに来ましたー！ よかったらーこのチェーンロック、外してくれますか──？」

「…………」

灰原はドアノブを握ったまま、じっとジョディの様子をうかがい、ドアのチェーンを外した。

ジョディに手を引かれ、家の前に停められた車へと乗り込む。

ジョディと灰原を乗せた車が発進するのと入れ違いに、別の車が阿笠博士の家へとやって来た。乗っているのは、新出だ。

ジョディの車が走り去って行くのを見て、新出は「え？」と当惑した。

もうハロウィンパーティーどころではない。船は大急ぎで、横浜の港まで引き返すことになった。

亡霊船長が殺された――

港に着くまでの間、小五郎は、亡霊船長の遺体を調べることにした。

「ボーガンの矢で、心臓を射抜いてやがる…しかも御丁寧に悪魔のカードまで添えて…」

「悪魔をあの世への案内人にしたってところかしら？」

メデューサが、立ったまま遺体をのぞきこんで言う。その隣で、透明人間もさりげなくしゃがみこみ、遺体を観察していた。

「フン…案内人なんかいなくても、すぐに三途の川は渡れたでしょうな…ほとんど即死だろーから…」

小五郎が、遺体の胸の傷を確認して言う。

メデューサは、船の外に広がる海へと視線を投げた。

「多分、この矢を発射したボーガンは、この広ーい太平洋のどこかに捨てたはず……。見つかりっこないわね……」

「んじゃ…仏さんの顔を拝んでみるか…」

そう言うと、小五郎は手袋をはめた手で、遺体がつけていたマスクを外した。マスクの下から現れたのは、ヒゲを生やした中年の男性だ。

「ん？　この顔どっかで…」

「こ、この人、よくTVに出てる映画プロデューサーじゃない？」

小五郎が遺体の顔に目を留めると、園子が横から口を出した。

「確か名前は福浦千造！　亡霊船長のシリーズの前の『13日の仏滅』をプロデュースして注目されたんだったかしら…」

メデューサが補足して説明すると、小五郎は眉間にしわを寄せた。

「じゃあまさか、プロデューサー自ら亡霊船長の役で映画に出てたのか？」

「い、いえ、映画は俳優さんがやっていました…」

二人のスタッフが寄って来て言う。どうやらこのパーティーの運営スタッフは、映画の撮影スタッフたちが兼ねていたらしい。

「福浦さんは亡霊船長が大好きで、毎年やるこの船上パーティーの時は、いつも自分ですすんでこの役を…。毎回、マストの上から亡霊船長がライトを浴びて、問題のヒントを出す演出を決めたのも福浦さんです…」

スタッフの説明を聞き、小五郎は「ああ…」と思い出した。確かに亡くなる直前、亡霊船長は観客に向けてクイズを出そうとしていた。

「この怪物達の中に人間が一人混ざってるっていうあのクイズか…」

「ドクロのマスクの内側にマイクがついているわ…」

メデューサは、亡霊船長のマスクを確認すると、マイクの近くをトントンとたたいた。

すると、マストに設置されたスピーカーから、トントンとくぐもった音が返ってきた。

「どうやらこのマイクで直接喋っていたようね…」

「んで？　あのクイズの答えっていうのは？」

小五郎に追及され、スタッフたちは肩をすくめた。

「そ、それが…問題やヒントは福浦さんが一人で決めておられたので、我々パーティースタッフは何も…」

「クイズを最初に解いたグループに、試写会の招待券がもらえるとは聞いてましたけど…」

どうやら問題の答えを知っているのは、福浦だけのようだ。

小五郎は立ち上がると、二人のスタッフの顔を順番に眺めた。

「まぁとにかく、犯人はあんたらパーティースタッフの誰かだって事は、確かなようだな…」

「えぇ!?」

パーティースタッフたちが、驚いて顔を見合わせる。

小五郎はすらすらと、自身の推理を並べ立てた。

「第一に、亡霊船長に扮した福浦さんが出題の途中で苦しみ出した時、客であるオレ達はまだ船内にいた…。マストの上の福浦さんをボーガンで射抜くのは無理だ…。それが出来るのはあらかじめ甲板にいて、照明やら音響やら出題の時の段取りをやっていたスタッフだけ…。第二に、この悪魔のカード！　恐らく、乗船する時にこのカードをもらった客の誰かの犯行に見せかけたかったんだろーが…。このカードを用意してたあんたらなら、何枚でも作れるだろーしな…」

小五郎が、矢に刺さっていた悪魔のカードを見せると、スタッフたちはひたいに冷や汗を浮かべながら「い、いえ…」と反論した。

「出題の前から、甲板に出ていたお客様は何人かおられましたよ…。海が見たいからって…」

「え？　そなの？」

いきなり推理を否定され、小五郎の表情が気まずげになる。

「それがどんな方だったかはよく覚えてません…。暗かったし……。それにそのカードは、不正防止のために福浦さんが作った物で、我々が前もって用意なんて無理ですよ…。去年はトランプでしたし…」

スタッフたちの証言を聞き、メデューサは「なるほど？」とうなずいた。

「つまり犯人は…この悪魔のカードをもらった…私達、七人の中にいる可能性が高いって悪魔のカードをもらった七人とは、小五郎と園子、狼男、フランケン、ミイラ男、メデューサ、そして透明人間のことだ。

「この船が横浜港に戻るまであとどれくらい？」

「一時間ぐらいだと思いますけど…」

スタッフの答えを聞くと、メデューサは船の中に向かって歩き始めた。

「じゃあ、それまで船内に入って事件を検証してましょ？　眠りの吸血鬼さん？」

うながされ、小五郎は「あ、ああ…」と気おされ気味にうなずいた。

ほかの招待客たちも、メデューサに続いてぞろぞろと船の中に戻って行く。

小五郎は、甲板の途中でふと足を止めると、携帯電話を出した。

「あれ？　電話？」

園子に聞かれ、「ああ…」とうなずく。

「遅くなりそうだから、蘭にな…」

留守番中の蘭が心配しないように、連絡を入れておこう——そう思ったのだが、何度コールを鳴らしても、応答はない。

「んー？　出ねぇなぁ…」

「お風呂にでも入ってるんじゃない？」

携帯を耳に当てたまま首をひねる小五郎に、園子は軽い口調で言った。


蘭に電話をかける小五郎の背後では、透明人間が、甲板の様子を調べていた。

じっくり観察するためにサングラスを外すと、床の上に、ガラスの破片が落ちているのが見える。破片は点々と、甲板の縁の方まで続いていた。そこには、遺体が引っかけられていた網が張られていた。


「………」

透明人間は無言で、マストに張られた網を見上げた。

灰原は、ジョディの運転する車の助手席に座っていた。

まだ風邪が治っていないのか、時折コホコホと咳をする。するとジョディが、ハンドルを握りながら「大丈夫……」と気遣った。

「これから会いに行くDr、とってもとっても優秀ね！　風邪なんかすぐに治って…楽〜〜〜になりまーすよ――！」

そう言ってニコッとほほえみかける。

灰原はジョディとは目を合わせず、ちらりとサイドミラーに視線を投げた。そこには、この車のすぐ後ろを走る、新出の車が映っている。

新出は、ジョディが灰原を連れ出したことに気付き、車で追いかけて来たのだ。

灰原は再び前を向き、またコホコホと咳をした。


亡霊船長の遺体には、悪魔のカードが刺さっていた。ということは、容疑者の中で、今、悪魔のカードを持っていない人物が、福浦さんを殺した犯人なのかもしれない。

「んじゃあ、まあ…自分が持ってる悪魔のカードを見せてもらいましょうか…」

小五郎の提案で、全員が自分のカードをバッと見せた。しかし、ミイラ男だけは、胸ポケットを探るばかりで、ちっともカードを出そうとしない。

「ん？　どうしたんスか？　ミイラ男さん？」

小五郎がにらむと、ミイラ男はあせってズボンのポケットに手を突っ込んだ。

「あ、あれ？　ど、どっかに落としたかな…？」

「ハハーン…さてはあんた、わざと自分のカードを矢に刺し、容疑者から外れようとしてたなぁ？　わざわざ自分のカードを凶器に添えるなんて事、犯人がするわけないという心理を逆手に取って…」

小五郎が、ミイラ男にぐっと顔を近づける。

「この悪魔のカードは福浦さんが作った、この世に7枚しかないカードとは知らずになあ!!」

犯人にされそうになり、ミイラ男はうろたえながら言い返した。

「そ、そんな事、私だって知ってましたよ！」

「ん？　何で知ってんだ？」

「だ、だって私は、客に混ざって優秀なメイクをしている人を選べと福浦さんに頼まれた…映画スタッフなんだから!!」

招待客たちの視線が、いっせいにミイラ男へと注がれる。

ミイラ男と同じように、包帯で顔をぐるぐる巻きにした二人の男が、おもむろに近づいてきた。一人は小太りで、一人は赤い髪をしている。

「映画スタッフだと？」

小五郎がじとっとミイラ男たちをにらんで聞いた。

「え、ええ…。私の他のミイラも、ほとんどそうで、いいメイクのお客さんは、福浦さんにメールで知らせていたんです…」

そう言うと、ミイラ男は、寄って来た二人の男の方を振り返った。

「このメイクをしてくれたのも福浦さんだよなぁ？」

「あ、ああ…福浦さんに色々指示を受けたのも、メイクの時だよ…」

赤い髪のミイラ男が証言する。どうやら会場に紛れた映画スタッフは、全員ミイラ男のメイクをしていたようだ。

「指示ってどんな？」

小五郎は、スタッフのミイラ男たちに向かって聞いた。

「特定の酒を飲めとか…」と、容疑者のミイラ男。

「僕は鳥肉料理だけを食べろと言われました…」と、小太りのミイラ男。

「オレはこの赤いカツラを被らされたよ…」と、赤い髪のミイラ男。

「とにかく指示はそれぞれバラバラで、共通していたのは、絶対に喋るなって事ぐらいです……」

容疑者のミイラ男がまとめると、小五郎はますますわけが分からなくなってしまった。

「何だそりゃ？」

「………」

ミイラ男たちの証言を聞いた透明人間は、コツコツと廊下を歩いてトイレへと向かった。

トイレの設備は相変わらずボロボロで、鏡は粉々に割れている。

透明人間はトイレの中へと歩を進めると、三つ並んだ個室をそれぞれじっと観察した。

容疑者のミイラ男は、なおも小五郎から追及を受けていた。

「だがねぇ…クイズの問題を待ってる時、あんた、オレ達の前から姿を消しただろ？」

「ト、トイレに行ってたんです!!　この二人も一緒でした!!」

ミイラ男は早口に答えると、狼男とフランケンに「でしたよね？」と確認した。

「確かにトイレに行く時は一緒だったけど…で、出るのは見てないぞ…」

フランケンが言うと、ミイラ男はますますあせった。

「何いってんだ？　出る時、あんたの後ろを通ったじゃないか!!　き、きっと気づかなかったんだ…誰かが鏡を割ったから…」

「あん？　あの鏡、雰囲気作りで最初から割れてたんじゃねーの？」

小五郎は横やりを入れると、続けて聞いた。

「んじゃ、福浦さんが出題する直前、あんたは一体どこに？」

「い、いましたよ、狼男さんのそばに！」

ミイラ男が慌てて主張するが、狼男は「ん？」と要領を得ない様子だ。ミイラ男はいよいよ切羽詰まり、自分のことを指さして、

「私の姿、見かけたでしょ？」

と、まくしたてた。

「さあ、覚えてねぇな…。オレはなんとか映画に出演してやろうと思って、自分をアピールするのに必死だったからよ…こうやってな…」

そう言って、ピッと手元のボタンを押す。すると、アオォン！　と狼の鳴き声が流れた。

「そういえば、何度も吠えてたっけ…」

あれはアピールのためだったのか……と、園子はあきれてしまった。

ミイラ男が小五郎たちと言い合う間、透明人間はこっそりと甲板に戻り、マストに張られた網をよじ登っていた。
マストの上部に設置された、見張り台までたどり着く。

するとそこには、なぜか一羽のニワトリがいて、「クエ〜ッ」と興奮した様子で鳴き声をあげていた。

「………」

ニワトリの姿を無言で見つめると、透明人間はなぜか「フッ」と笑みをもらした。

小五郎は一人で盛り上がり、完全にミイラ男を犯人だと決めつけていた。

「わ、罠だ！　これは誰かが私を陥れるための陰謀だ!!」

ミイラ男は必死に言い逃れようとするが、小五郎は聞く耳を持たない。すっかり勝ち誇り、得意げに「フン…」と鼻を鳴らしてミイラ男に詰め寄った。

「切羽詰まった犯人は、大概そうわめくんだよ……。とにかく、この犯行はアリバイもなければカードも持っていないミイラ男さん…あんたしか考えられねーん…」

『そいつは見当外れだぜ、毛利探偵…』

涼しげな声が、小五郎の推理を遮った。

「な？　なに⁉」

小五郎が、驚いて辺りを見まわす。声は、天井に設置されたスピーカーから聞こえてくるようだ。

『それじゃあ、真実はまだ…闇の中…』

「この声、亡霊船長のマイクからです‼」

スタッフが言い、小五郎はダッと駆け出した。

「おのれ甲板か‼」

バンと勢いよく扉を開け、甲板の上へと躍り出る。

「だ、誰だ⁉　どこにいる⁉」

『あなたは事件を解く鍵を…すでに飲み干したというのに…残念です…』

声の主は、マストの上の見張り台に立ち、小五郎を見下ろしている。

その姿を見て、小五郎は目を見張った。

「お、お前は…透明人間‼」

「さぁ謎解きを始めましょうか…」

そう言うと、透明人間は自分の顔を覆う包帯をほどき始めた。

小五郎は、マイクを通さない透明人間の声に聞き覚えがあることに気付き、驚いてその場に立ち尽くしてしまう。

「その声、その口調…まさか…」

透明人間は、軽く微笑んで続けた。

「闇夜を照らす…月光の下で…」


透明人間の正体を見て、小五郎も、その場にいた招待客たちも、驚きに目を見張った。

「お、お前は…探偵ボウズの…工藤新一⁉」

透明人間の正体は、工藤新一だったのだ。

「ウ、ウソー‼」

園子が目を丸くして叫び、小五郎も、

「何でお前がここに⁉」

と度肝を抜かれた。

「く、工藤って、あの高校生探偵で有名だった…」

「え？　どこどこ？」

「死んだんじゃなかったんだ…」

招待客もみんな、工藤新一の登場に驚いているようだ。

女性スタッフたちの会話を盗み聞きしていたあのゾンビも、あ然として、工藤新一の姿を見つめていた。

このゾンビの正体は、ジンの命令でパーティーに潜入していたウォッカだったのだ。

（……バカな…あのボウズは前に…前にジンの兄貴が毒薬で殺したはず…。どうなってんだ⁉）

船上の誰もが工藤新一に注目する中、メデューサだけは、余裕の表情で事の成り行きを見守っていた。

そのころ、ジョディは快調に車を走らせていた。

助手席に座る灰原に聞かせるかのように、上機嫌で鼻歌まで歌っている。

灰原は、コホコホと咳をしながら、そっとジョディに話しかけた。

「ねぇ…一つだけお願い…聞いてくれる？」


「ハッハッハァー!!」

小五郎は、さっそうと登場した新一をバカにして笑い飛ばした。

「カッコつけて出て来たところ悪いが……もうこの事件のカタはついてんだよ！　被害者は、今、お前が立ってるマストの上で問題のヒントを出そうとしていた…この福浦さんで…、犯人はその彼をパーティー会場である下の船室から抜け出し、この暗い甲板に出て、悪魔のカードを添えたボーガンの矢で射抜いた人物……」

小五郎は、ミイラ男をまっすぐに指さした。

「つまり、その時間にアリバイもなければ悪魔のカードも持っていない、このミイラ男で決まりなんだよ!!」

ミイラ男が、びくりと身体をすくめる。

「……」

「この推理のどこが見当外れっていうんだ? おい! 何とか言ってみろ!!」

新一が黙っているので、小五郎は苛立たしげに追及した。

「あ、失礼…ちょっと風邪気味でノドがね…」

そう言うと、新一はコホコホと小さな咳をして続けた。

「えーっと、アリバイとカードでしたよね? カードは多分、ミイラ男さんに罪を被せるために犯人がスリ取ったんでしょう…。そこにいる…狼男さん、あなたに…トイレの中でね!!」

名指しされ、狼男はハッと顔を上げた。

小五郎は意味が分からず、「トイレだとォ?」といぶかしげに聞き返す。

「……」

狼男が何も言わないので、小五郎はミイラ男の肩を揺さぶって直接聞いた。

「おい、そうなのかミイラ男⁉」

「さ、さあ…」

ミイラ男が、困って首を傾げる。

新一は、余裕に満ちた笑みを浮かべて説明した。

「覚えていないのも無理はない…恐らく狼男さんは、ミイラ男さんが入ったトイレの隣に入り、トイレの下の隙間からクロロホルムのような麻酔薬を注射器か何かで注入し、気化したそれをミイラ男さんが吸い、意識を失った頃合いを見計らって、こっそり上のスキ間から侵入して、カードを抜き取ったんでしょうから……」

「お、おい…そんな証拠どこに？」

小五郎が、半信半疑の表情で聞く。

「証拠なんてありませんよ……。これは考えられる一番簡単な方法を言ったまでの事…。その麻酔薬も注射器も海の中でしょうしね…」

新一が答えると、小五郎は苦々しげな表情になって「大体なァ！」と声を荒らげた。

「何でそれをやったのが狼男なんだよ⁉　狼男はトイレから出て来た所も、問題が出される直前も姿を見かけたが、ミイラ男はどこにも…」

「何言ってんですか!?」

驚いて口を挟んだのは、ミイラ男本人だった。

「私がトイレから出て来たところも、見ていたでしょ!?」

強い口調で言われ、小五郎が「はぁ？」と首を傾げる。

「それに出題の直前もいましたよ、あなたのそばに！」

そんなはずはない。ミイラ男は、遺体が発見された直後まで、ずっと姿が見えなかったのだ。小五郎はあきれた。

「おいおい、まさかミイラじゃなく透明人間だったとか言うんじゃねーだろーな？」

「その謎を解く鍵は、フランケンさんが握ってます…」

おだやかに言うと、新一はフランケンに視線を向けた。

「話してくれませんか？　あなたがトイレの中でまで怪物になりきってアピールしていたわけを…あなたがトイレで見せた、あの驚いた顔の理由を…」

「……」

短い沈黙のあと、フランケンはためらいがちに口を開いた。

「オ、オレ達、ホラーファンの間じゃ、もう有名になっていたんだ…。パーティー中にメール打ってる奴が、オレ達を映画に出すかどうか審査してる映画のスタッフだと…。だ、だからすぐにこの人がスタッフだとわかって…アピールしようとトイレについて行って、彼がトイレから出てくるまでずっと演技してたんだ……。で、でも彼が入ったトイレから出てきたのは…」

そこで一度言葉を切り、ちらりと狼男の方を見る。

「お、狼男かよ!?」

小五郎は面食らって叫ぶと、すぐにその意味を悟り「おいおい、じゃあまさか…」と声を震わせた。

「そう…犯人はトイレで眠らせたミイラ男さんに、罪だけじゃなくある物も一緒に被せたんですよ…狼男である自分のマスクをね!! トイレの鏡を割ったのは、ミイラ男さんにその事を悟らせないためでしょう…」

「だ、だが、こんなのを被らされたら、普通気づくんじゃ…」

小五郎の疑問に対し、新一はよどみなく答えた。

「ミイラ男さんは、元々顔に包帯を巻いていますし、眠らされている時に被せられたのなら気がつかなくても不思議じゃありませんよ…。しかもそのマスクは首から下が隠れるから、ネクタイの色が違ってもごまかせますし、二人共、白い手袋をしていますから物をつかんだ時も、自分も周りも不審には思わないでしょうしね…」

「けどなぁ…」

小五郎は半信半疑の表情で疑問を重ねた。

「出来過ぎてねーか？　背格好がほとんど一緒で、同じ悪魔のカードを持ち、なおかつ無口な奴と偶然トイレが隣同士になるなんて……」

「偶然じゃありませんよ…。待っていたんです、トイレの中でそういう人を…。自分の怪物ぶりをアピールしようとろくに喋らないお客さんは大勢いましたしね…。カードを矢に刺したのは、その場の思いつきでしょう…。犯人が現場に自分のカードを残すわけないと思われても、それを逆手に取ったと思われても、狼男さんは疑われませんから……」

「し、しかし…園子君が呼んだ時、狼男はトイレから出て来たじゃねーか!!　薬で眠らされていたんなら、なんであんなにタイミングよく…」

小五郎が指摘すると、新一は園子の方に顔を向けた。

「トイレから出て来る前に、何か聞こえたでしょ？」

小五郎が不思議そうに「あん？」と語尾を上げ、それと同時に園子が、

「あ、そっか!!」

と、ピンときて叫んだ。

「あの『アォーン』っていう狼の遠吠えで起こしたのね!! あの遠吠え、録音したのをリモコンで再生してたみたいだから!!」

「ああ…恐らくそのスピーカーを取り付けた場所はマスクの後ろ…。盗聴器も一緒に付けて、マスクを被せたミイラ男さんの周りの人の声にすばやく反応できるようにしてたんだ…。誰かがミイラ男さんに狼男として話しかけても、あの遠吠えでごまかすつもりで…。そばに狼男がいて、自分に話しかけているんじゃないと錯覚させてね…」

新一の推理を聞き、小五郎は「なるほど…」とようやく納得して、ミイラ男に言った。

「だからあんた、遠吠えの度にキョロキョロして、いつも狼男のそばにいたなんて言って

たのか…」

「そうやってパーティー会場内に狼男がいると印象付けて、アリバイを作り、甲板に上がってマストの上の福浦さんをボーガンで射殺！　そして駆け付けた客の中から、その遠吠えを頼りにミイラ男さんを見つけ、その混乱に乗じてマスクを剥いで被り直し、客の中に紛れ込んだ…」

理路整然と説明すると、新一はまっすぐに狼男を見下ろして、たたみかけた。

「どこか間違っていますか、狼男さん？」

「………」

狼男が、マスクの下で沈黙する。

ジョディが車でやって来たのは、コンテナの積まれた埠頭だった。夜なので辺りに人影はない。突き当たりにさしかかると、ジョディはタイヤをきしませながら車をドリフトさせ、来た方角に対して前向きになるように車を停めた。

追いかけて来た新出の車が、ジョディの車と向き合う形でキッと停車する。

ジョディは車の外に出ると、降りてきた新出に声をかけた。

「Oh、どーしたんですかー？　Dr新出！」

「それはこっちのセリフです!!　その子をどうするつもりですか!?」

新出に詰め寄られ、ジョディは「No, No!」と大げさに両手を振った。

「ちょっとドライブしてただけね！　私、あなたと違って――とってもとっても暇ですから――…」

「暇？」

「Dr新出、もうすぐ殺人事件の裁判ね！　ちゃんと証言しなきゃいけませーん！」

わざとらしいほど明るく言うと、ジョディは少し声を低くして続けた。

「本当は――お手伝いのひかるさんが引き金を引いてー…あなたの父親を殺した事を隠してね…」

「ひかるさんが引き金？」

新出が、探るようにジョディを見る。

「とぼけてもダメね！　私、毛利探偵にこっそり本当の事聞きましたー！」

「何を言っているんですか!?　あの事件の犯人は、僕の義理の母…それに死因は感電死、拳銃なんかじゃありませんよ…」

新出が早口に言うと、ジョディは勝ち誇ったように、ニヤリと口角を上げた。

船の上では、狼男が、新一の推理を「フン…」と一笑に付していた。

「高校生探偵だか何だか知らねーが…言いたい放題言いやがって…。証拠はあんのか？　俺がやったって証拠は!?」

「あなたが犯人だと指し示す物ならありますよ、ここに二つ…」

新一は、足元にいたニワトリを胸の高さまで抱え上げた。ニワトリがバサバサと羽を振って暴れる。さっき見張り台で見つけた、あのニワトリだ。

「一つはコレ！　この怪物達の中に人間が混ざっているという、例の問題のヒントです…」

「に、鶏!?」

突然現れたニワトリに、小五郎が目を丸くする。

新一は、ニワトリの尾をつかんで逆さにして持つと、招待客たちから見えるように高く掲げた。

「恐らく福浦さんは、スポットライトを浴びながらこうするつもりだったんですよ…」

そう言われても、宙吊りのニワトリになんの意味があるのか、招待客たちには全く分からない。園子は要領を得ない表情で「逆さ吊り?」とつぶやき、小五郎は「フン! それのどこがヒントだと…」と、はなから解くのをあきらめている。その隣で、メデューサは、

「なるほどね…」

と、納得したようにつぶやいた。

「え?」

驚く小五郎に、メデューサは静かに説明した。

「鶏の雄はCock、尻尾はTail…。その昔、雄鶏の尻尾で多種類の酒を混ぜて作り、その雅名がついたっていう…Cocktailの語源よ…」

「ヒントがカクテル？」

小五郎が、ますます混乱した表情になる。

「毛利探偵…あなたも飲んだでしょ？　そのカクテルを…」

新一に促され、小五郎は記憶を探った。

「そ、そういえば飲んだなぁ…狼男が飲んでたのと同じヤツを…確かあれは……」

「シルバー・ブレット‼」

ミイラ男が、勢いよく横やりを入れた。

「私、福浦さんにそのカクテルを会場のバーで飲めって言われました‼」

「そいつは偶然だな…俺も飲んだぜ、その酒…」

すかさず狼男が口を挟み、ミイラ男が「えぇ⁉」とうろたえる。

「本当に飲んだんですか？　自分の狼男をアピールして映画に出たがったあなたが……」

新一が聞くと、狼男はためらいなく「あぁ…」とうなずいた。

「景気付けにな…それとも何か？　狼男が酒飲んじゃいけねぇのかよ⁉」

「本当にシルバー・ブレットを？」

「しつけぇなァ！　オレは飲んだんだよ‼　シルバー・ブレッ…」

言葉の途中で狼男ははっと何かに気付き、「ト⁉」と動転して声を裏返した。

「そう…シルバー・ブレット、銀の弾丸……ホラーファンなら知らない人はいない、狼男の息の根を止める唯一の武器……。それと同時に魔除けの酒でもある……。恐らく福浦さんは、このカクテルのヒントで客達をバーに行かせ、誰にどんな酒を出したかバーテンに教えてもらって、シルバー・ブレットを注文したミイラ男さんが答えの人間だと当てさせるつもりだったんです…。魔除けの酒をわざわざ注文する怪物なんていませんから…」

冷静に言うと、新一は「ねぇ、狼男さん？」と呼びかけた。

狼男は立ち尽くしたまま、「……」と沈黙してしまう。新一は冷静に推理を続けた。

「もっとも福浦さんに何も聞かされていないバーテンさんは、毛利探偵にも同じ酒を出してしまったようですが…」

「じゃあ、あの時トイレから慌てて出て行ったのは…」

「トイレで寝ちゃって、まだそのカクテルを飲んでなかったから？」

小五郎と園子が、口々に言う。

「そのミイラ男のメイクを福浦さんがやったというのなら、たぶん、包帯の下に付けられているはずですよ…。あなたが答えだという…当たりのマークがね!!」

新一が言うのを聞いて、メデューサはミイラ男の包帯を外した。

包帯の下から、ミイラ男の素顔が現れる。ひたいには、「人間」とはっきり書かれていた。新一の推理通り、モンスターの中に一人だけ紛れた人間とは、このミイラ男のことだったのだ。

「んで？　もう一つの証拠っていうのは？」

小五郎が、新一に問いかける。

「ボーガンの名手でも、カードを矢に刺して遠くから人を射抜くのは不可能です……。もちろん不安定なこのロープの上からもね…。確実に仕留めるには、ここまで登って至近距離から発射しなければならない…。その時、狼男さんがここに立った跡が残っているんですよ…トイレの鏡を割った時に、踏んで靴底に食い込んでしまった鏡の破片の跡が…」

そう言うと、新一はその場にしゃがみこんだ。よく見ると、見張り台の床の上には、割れたガラスの破片のようなものがたくさん落ちている。

「後で鑑識さんに照合してもらえば、ピッタリ一致するでしょう…。さあ狼男さん、見せてくださいよ。あなたの靴底を…」

「……」

狼男が、爪先をにらんで沈黙した。

「そして聞かせてください。こんな所に登ったわけを…」

新一がさらにたたみかけ、小五郎は、

「んじゃ、ちょっと見せてもらおうか？」

と、狼男の足元にしゃがみこむ。

靴底にガラスの刺さった跡が見つかれば、もう言い逃れは出来ないだろう。狼男のトリックは全て暴かれてしまったのだ。

「お、俺じゃない…」

狼男は、涙声を絞り出した。

「悪いのはあの悪魔…」

小五郎が、「あん？」と顔を上げる。

狼男は、目を見開き、おびえたようにまくしたてた。

「べ、ベルモットっていう…あの悪魔なんだよ!!」

──それに死因は感電死、拳銃なんかじゃありませんよ…。

新出の言葉を聞くなり、ジョディは高らかに笑い出した。

「な、何なんですか?」

「Oh, Sorry…私が今言った引き金とは、電気のブレーカーの事ね……」

ジョディは、笑った顔のまま、ピンと人差し指を立てた。

「殺人の仕掛けを仕組んだのは犯人ですが──ブレーカーを上げて、殺人の引き金を引いてしまったのは、何も知らなかったひかるさん…。その彼女を傷つけないために─犯人と警察が示し合わせてウソの調書が作られたんでーす! 殺人は別の方法で行われたとね…」

新出は小さく息をのんだ。

ジョディの言う事件とは、新出の父である新出義輝が殺害された事件のこと。殺人を企てたのは新出の義母である新出陽子だが、陽子のトリックにより、当時お手伝いとして新出家で働いていた保本ひかるが、本人も知らない間に殺人の実行犯にさせられていた。

ひかるを傷つけないため口裏を合わせることを決めた時、その場に新出もいた。それなのに、どうして新出は、このことを知らなかったのだろう？

「まあ、知らなくても当然でーす！　あなたが警視庁から盗んだ調書にはそんな事書いてありませーんから…。裁判を乗り切って、Dr新出で在り続けるために盗んだ…あの事件の調書にはね…」

苦笑いで言うと、ジョディは軽く両腕を広げ、肩をすくめて「違いますかー？」と問いかけた。

「あ、あなたは一体…!?」

新出が、ぱちぱちと瞬きしながら聞く。

するとジョディは、人差し指を立てて口元に持って行き、意味深にこうつぶやいた。

「A secret makes a woman woman… (女は秘密を着飾って美しくなるのよ…)」

ジョディは急に英語で話し始めたが、新出は驚く様子を見せず、落ち着きはらってその場に立っていた。

「Do you remember? It was your last words to me… (覚えてる? 貴方が私に残した最後の言葉よ…) I've been repeating many times not to forget the enemy's words… (そして忘れまいと何度も口ずさんだ…) The enemy who killed my father… (父の敵の言葉…)」

新出が、右手を自分の顔の方へと持って行く。そのまま頬の皮膚をつかむと、ビッと何かが裂ける音がした。自分の顔に特殊メイクを施していたのだ。

「Right? Chris Vineyard… (そうよね? クリス・ヴィンヤード…)」

ジョディが、強い口調で詰め寄る。

ビリッ!

新出は、顔の特殊メイクを勢いよく引っ張った。

「No… (いや…) Vermouth (ベルモット) !!」

ジョディの言葉通り、新出の顔型のマスクの下から現れたのは、ベルモットの顔だった。

ベルモットは、ずっと、新出に変装していたのだ。

長年追いかけていたベルモットとようやく対峙して、ジョディは昔の記憶を思い出していた。

二十年前、初めてベルモットに会った夜のことだ。

ぬいぐるみが無ければ眠れないほど幼かったころ、ジョディはいつも、寝る前に父親に絵本を読んでもらっていた。でも、その夜は、いくら待っても父親は寝室にやって来なかった。仕方なく、ジョディはベッドを抜け出して、父親を捜しに向かった。

リビングをのぞくと、そこにいたのは、見たことのない女の人だった。黒いキャップを目深にかぶり、服も靴も真っ黒だ。束ねた髪をキャップの中に隠し、唇には真っ赤なルージュが塗られていた。

「Who are you?（あなた誰？）」

ジョディが聞くと、女の人は右手の人差し指をピンと立てて、口元に添えた。

「It's a big secret...I can't tell you...（秘密よ秘密…。教えられないわ…）A secret makes a woman woman...（女は秘密を着飾って美しくなるんだから…）」

そうささやく女の人の右手には、ジョディの父親の眼鏡が握られている。

「Those are my daddy's glasses.（パパの眼鏡…）」

ジョディが言うと、女性は、

「Oh, sorry...（あ、ごめんなさい…）」

と謝りながら、眼鏡をジョディに返してくれた。

父親はリビングの床の上に座り、壁に寄りかかってぐったりとしていた。実はこの時、父親はすでに殺されていたのだが、幼いジョディはそのことに気付かず、女の人に尋ねた。

「How is he doing?（パパどうしたの？）Is he asleep already?（もう寝てるの？）He promised me a bedtime story...（寝る前に絵本読んでくれるって言ってたのに…）」

「So, will you be with daddy until he wakes up?（じゃあパパが起きるまでそばにいてあげてくれる？）」

女の人が言い、ジョディは屈託なく、「Yes!（うん！）」とうなずいた。

それが、その日ジョディと女の人が交わした最後の会話となった。
女の人の正体は、ベルモットだったのだ。

昔の記憶について語りながら、ジョディは目の前にいるベルモットを見据えた。

「And you set the fire that burned our house to ashes.（そして貴方は家に火を放ち、何もかも灰にしたのよ…）My father's file on you was in the house. He secretly worked on it in the FBI.（ＦＢＩの捜査官として父が秘密裡に集めた貴方達の調査資料と共に…）I survived, however, because I went shopping later for his favorite orange juice that waked him up…（でも私は助かったわ…。あの後、父が起き抜けに飲んでるオレンジジュースを買いに出かけたから…）」

「Oh, was that you, the little girl?（へぇー、あの時の少女が貴方なの…）」

ベルモットは意外そうに言うと、腕組みして立つジョディをぐるりと眺めた。

「I looked for you desperately…（随分捜したのよ…）Because they only found out your parents' remains in the burnt house…（焼け跡からは御両親の骨しか発見されなかったから…）」

「My father's colleagues were protecting me. They put me in the Witness Protection Program.（父の仲間が守ってくれたわ…。証人保護プログラムを私に適用してくれて…）」

ジョディが言うと、ベルモットは「I see.（ああ…）」と納得しながら、服の内側にあるスイッチのようなものをプチッと押した。すると、真っ平だった胸が膨れ、女性らしい体つきへと変化した。

どうやらベルモットは、男性になりすますため、なんらかの装置を使って自分の体形を変形させていたようだ。

「It's a silly program, they protect witnesses who risk their lives by giving them a new name, address and profile.（命の危険がある証人の名前や住所を変え、別人にして保護する馬鹿げた制度…）That explains it. You took his job to pursue me as daddy's good girl.（なるほど？　父の跡を健気に継いで私を追っていたのね…）」

そこで一度言葉を切ると、ベルモットは挑戦的にジョディを見つめ、日本語に切り替えて続けた。

「ここは日本…。郷に従って日本語で話しましょ？　FBIの…ジョディ・スターリング捜査官？」


船の上では、小五郎が、狼男から事情を聞いていた。彼によると、罪を犯したのは、すべてベルモットという女性のせいらしい。

「ベルモットだとォ!?　そいつに頼まれて、この殺人をやったっていうのか？」

小五郎に追及され、狼男は「い、いや…」と力なく否定した。

「福浦さんを恨みに思っていたのは確かだよ……。死ぬ程好きだった映画『仏滅シリーズ』をあっけなく完結させて…この子供だましの亡霊船長シリーズを始めやがったあの男を……。その事をインターネットのある殺人サイトの掲示板に書き込んだんだ…殺してやりたいって…。そ、そしたら、ベルモットって奴が話に乗って来たんだよ…。殺害方法も凶器もこっちで用意するからやってみないかと…」

「んな動機で、んな誘いに乗ってあんた人の命を…」

小五郎があきれ返って言うと、狼男はおびえた表情で続けた。

「も、もちろん最初は断ったよ…。でもその後、俺や家族を隠し撮りした写真や、電話の盗聴テープや、そして日常の行動が綿密に書き込まれた書類が…ダ、ダンボール一箱分ビッチリ詰まって送られて来たんだよ!! 断ったり警察に通報したりしたら、俺や家族の誰かが死ぬって…まるでそう暗示してるかのように!!」

狼男はベルモットに半ば脅迫されるような形で犯行に及んだらしい。そうだとしても、殺人犯に同情の余地はない——新一はマストの上から、シラケた表情で狼男の言い訳を聞いていた。

ジョディは冷ややかに、新出の変装を解いたベルモットをにらみつけた。

「さすが千の顔を持つ魔女ベルモット…その変装能力があれば、どこでも侵入できて調べ放題ってわけね…」

「貴方こそよく気づいたわね…Ｄｒ新出の変装に…」

「わかるわよ…。たいした病気でもないのに、お忍びの女優クリスとして素顔であの新出医院に通い詰めてる姿を見れば…彼を殺して成り済ますつもりだって事はね！」

ベルモットは、黒の組織の一員であることを世間に隠し、ハリウッド女優クリス・ヴィンヤードとして活動している。クリス・ヴィンヤードの顔と名は世界的に知られていて、日本でも有名なので、新出もまさか彼女が悪事をたくらんでいるとは思わずに、患者として受け入れたのだろう。

ベルモットは、うっすらと笑って聞いた。

「じゃあ、もしかして、私の車の目の前で家族を乗せた彼の車がガードレールを突き破って海に沈んだのは…貴方の仕業だったとか？」

「ええ…殺される前に事故で死んだように見せかけたのよ…車が海に沈んだままにして…。彼が死んだ事を誰も知らなければ、貴方がＤｒ新出として立ち回りやすいから…。もちろんその車に乗っていたのは、酸素ボンベを背負った私の仲間…本物の彼は遠い所で平和に暮らしているわ…」

ジョディたちFBIが事故に見せかけて新出をかくまわなければ、彼は今ごろベルモットに殺されていたのだろう。ジョディは冷静に続けた。

「そして貴方は、我々の思惑通り新出病院に居座って何かを調べ始めた…。その何かは、あの病院の貴方の部屋に忍び込んだら一目瞭然だったわ…。ダーツの矢で串刺しにされた20歳前後の赤みがかった茶髪の女性…。あの写真の女性を見つけ出して消そうとしているってね!!」

赤みがかった茶髪の女性とは、薬で小さくなる前の灰原——宮野志保のことだ。

新出医院のベルモットの部屋にあった灰原の写真には、大きく「×」の文字が書かれ、深々とダーツの矢が刺さっていた。ベルモットが宮野志保をターゲットにしていたことは明らかだ。

「………」

沈黙するベルモットに、ジョディは「ここからは質問!」と追い打ちをかけ、背後に停まった車の方をちらりと振り返った。助手席には、灰原が座っている。

「貴方が連れ出して殺そうとしていた写真の女性と瓜二つなこの女の子……もちろん証人

保護プログラムを要請するけど…本当にあの写真の女性なの？　まだあるわ！　その写真の下に貼ってあった二枚の写真に書かれたCool guyとAngelの意味…あの男の子は、確かに頭が切れるけど、男じゃなく子供よね？」

ベルモットの部屋には、灰原の写真だけでなく、コナンと蘭の写真もあった。そして、コナンの写真の上にはCool guy、蘭の写真の上にはAngelと書かれていたのだ。

ジョディは平たんな口調で続ける。

「そう…あのコナンっていう男の子…。あのボウヤがこの少女の元から離れるまで、手を出さなかったその理由…。ジャックされたバスの中で貴方が身を挺してまで守ったあのわけを…答えてくれる？」

以前ジョディは、ベルモットが変装した新出と出かけた時に、コナンと灰原とともにバスジャック事件に巻き込まれたことがある。そして、コナンが犯人に撃たれそうになった時、新出は犯人の前に飛び出し、コナンの前に立って守ろうとしたのだ。

どうしてあの時、ベルモットはコナンを守ろうとしたのか。なぜベルモットはコナンと蘭の写真を貼っていたのか――ジョディの質問に答える代わりに、ベルモットは冷たく微笑した。

よく見ると、ベルモットの片耳にはイヤフォンがさしこまれていて、小五郎や新一の声が漏れ聞こえていた。ベルモットは、こっそりと幽霊船の様子を盗聴し続けていたのだ。

狼男は、ベルモットという女についてまくしたてるばかりで、さっぱり要領を得なかった。仕方がないので、小五郎は話を聞くのをあきらめ、

「とにかく！　話は警察に行ってからたっぷりな！」

と、狼男の肩を抱いて船室に連れて行った。船が港に着くまで、狼男の身柄は船内で確保されることになる。

招待客たちは、殺人事件が無事に解決したので、みんなホッとしているようだった。

「でも、こんな短時間で解決しちゃうなんて！」

「さすが工藤新一！」

「お見事！」

パチパチと拍手を送られ、新一はマストの上から「いえいえ」と謙そんした。

「すぐに解けたのは…僕も犯人と同じトリックを使っていたからなんです…」


ドン！ ドン！

埠頭に銃声が響きわたった。

ベルモットは、ジョディの隙をついて、隠し持っていた銃を撃とうとしたのだ。しかし、ジョディがそれより早く銃を構えて、発砲した。

銃弾が、ベルモットの手から銃を弾き飛ばす。

「動かないで!!」

ジョディに銃口を向けられ、ベルモットは両腕を上げた。

「あらあら、物騒な物持ってるじゃない？ 日本警察の許可は取ったの？」

「こっちの警察との合同捜査は貴方の身柄を確保した後で要請するわ！ もちろん、処分は受けるつもり……。その前にどうしても、貴方に聞いておきたい事があるのよ！」

「あら…何かしら？」

キィイン、と遠くで高い音が鳴った。音はだんだん近づいて来る。飛行機が、二人の方へと近づいて来ているのだ。

「貴方…どうして…」

ジョディは銃を構えたまま、落ち着いて聞いた。

「どうして年をとらないの？」

二人の頭上を、飛行機が通り過ぎて行く。

ベルモットは無表情だ。ジョディが静かに続ける。

「私が貴方に目を付けたのは、貴方が母親の棺の前で言ったあのセリフ…“A secret makes a woman woman…”」

ベルモットの母親とは、クリス・ヴィンヤードの母であるシャロン・ヴィンヤードのこと。その葬儀で、クリスがマスコミに向かって言ったセリフは、かつてベルモットがジョディに言った言葉と全く同じだったのだ。

「胸を高鳴らせて調べたら、見事に一致したわ…。貴方が私の父を自殺に見せかけて殺した時に…不自然な落ち方をしているのを直そうとしてつかんだ父の眼鏡…。そのレンズに付着した指紋と貴方の指紋がね！」

二十年前、ベルモットはジョディに、ジョディの父親の眼鏡を渡した。ジョディに渡せば一緒に燃えて灰になると思ったのだろうが、ジョディは生き残り、指紋のついた眼鏡もこの世に残ってしまったのだ。

「でも疑問が残ったわ…20年も前の事件の被疑者にしては貴方は若過ぎる…。まさかとは思ったけど、ある人物の指紋と照合してみたら、背筋が凍り付くような事実が判明したのよ…。貴方が母親のシャロン・ヴィンヤードと同一人物だって事がね!!」

きっぱりと言うと、ジョディは再び、車の中にいる灰原の方に視線を送った。

「そしてやっと見つけたってわけ…貴方の逮捕を妨げていたその謎を、説明してくれそうな証人を……」

この埠頭には、ジョディの仲間のＦＢＩたちが先回りして潜んでいるはずだ。ジョディは仲間たちに向かって声を張り上げた。

「You guys! Come out and hold this woman!!（さあ！　みんな出て来てこの女を拘束し

て!!)」

ＦＢＩによってベルモットが拘束されれば、ようやく黒の組織の全てが明らかになるだろう。ジョディは勝利を確信しつつも、銃口をベルモットに向け続けた。

「日本警察から身柄を引き取ったら、吐いてもらうわよ、何もかも…。まぁ貴方が黙秘し続けても、いずれこの子が…」

ダァン!

銃声が鳴り響き、ジョディの腰を銃弾がかすめた。血が噴き出し、ジョディは車に寄りかかるようにしてドッと倒れ込んでしまう。

「Thank you, Calvados…」

ベルモットは、コンテナの上に潜んでいた狙撃者——カルバドスに向かって片手を上げた。

「まだ殺さないでね…この女には聞きたい事があるから…」

「ど…どうして?」

車に寄りかかったまま、ジョディはぺたんと地面の上に座り込んだ。銃弾かすめた腰からは、だらだらと血が流れ続けている。埠頭に先回りしているはずのＦＢＩは、いつまで経っても姿を見せない。

ベルモットは、ジョディの手から銃を抜き取りながら説明した。

「仲間をここに張り込ませ…私をおびき寄せたつもりでしょうけど…私、２時間前に一度ここへ来たのよ…。あなたに変装して…。そして貴方の声でこう言ったわ…」

ベルモットは両腕を上げると、大きな声で、

「This is it tonight! Come back tomorrow!（今夜は撤収！　明日出直して来て！）」

と叫んだ。その声は、ジョディにそっくりだ。

ベルモットはジョディになりすまし、集まったＦＢＩの仲間たちを解散させてから、自分の仲間であるカルバドスを潜ませておいたのだ。

「気づかなかった？　毛利探偵が関わった事件の調書を盗んだのには、もう一つ意味があったのよ…。全て盗んだのは、必要としている事件の調書を特定させないためだけど…警視庁にそれをまとめて送り返したのは…私が日本に留まっている目的が、毛利探偵と関係があると匂わせてあの探偵事務所を張り込ませてあぶり出すため…貴方達ＦＢＩの仲間を

ね…」

ベルモットは、ゆっくりとジョディの顔をのぞきこんだ。

「おかげで、その人数や宿泊場所や連絡の方法も手に取るようにわかったわ…。この場所で私を罠に掛けるって事もね……」

ジョディたちの作戦は、全てベルモットに読まれていたのだ。

ジョディは、ハアハアと荒い息を繰り返しながら、ベルモットの顔を見つめ返した。

「…じゃあ、私達が貴方の部屋に忍び込んだ事を…」

「ええ…知らない振りをしていたのよ…あの写真を見せたら、貴方達がこの女を見つけてくれるかもしれないと思ってね…。それにしても、貴方には二度も驚かされたわ…。一つは、あの20年前の少女が貴方だって事…もう一つは、Dr新出の事件の裏を知っていた事…」

ベルモットは、軽く苦笑いすると、ぐっとジョディに顔を近づけた。

「どうやって聞き出したの？　他言無用のそんな話…」

「き、聞き出したんじゃないわ…頼まれたのよ…。そ、そう問い詰めて貴方の正体を暴けば、わ、私の事を信用するって……」

声を震わせながら、ジョディは寄りかかった車の中を見上げた。

「こ、この子にね…」

灰原はマスクをつけたまま、ずっと助手席に座っている。

ベルモットは意外そうに眉を上げ、「へぇーそう…」と、灰原に視線を注いだ。

「この子がねえ…」

灰原が、コホコホと咳をする。


灰原と同時に、船の上にいる新一も、コホコホと咳をしていた。

「は、犯人と同じトリックを使ってた？」

新一が言うのを聞いて、園子はいぶかしげに聞き返した。

「犯人は二重に仮装をさせてたんだぞ!! お前、包帯しか巻いてなかったじゃねーか！」

小五郎が指摘すると、新一は、

「だから…それは…」

と、自分の顔に手をかけた。

「さあ、20年振りの再会もここまで…お別れの時間よ…」

ベルモットは冷酷に言うと、ジョディの頭に銃を突きつけた。

「ホラ、笑ってよ…天国のパパに会えるんだから…」

ベルモットの指が引き金を引きかけた——その瞬間。

ボン!!

突然、車の窓ガラスが粉々に割れ、中からサッカーボールが飛び出して来た。サッカーボールはベルモットの手から銃を弾き飛ばし、すごい速さで遠くに飛んでいく。

ドアを開けて、灰原が車の外に出て来る。——今のボールは、灰原が蹴ったのだろうか?

「あ、貴方…まさか…」

灰原を見て、ベルモットは目を見張った。

「あぁ…」

灰原が、自分の顔に手をかける。そしてそのまま、ビッと音を立てて、変装用のマスクを勢いよくはぎ取った。

「江戸川コナン…探偵だ!!」

ジョディが連れて来た灰原は、コナンの変装だったのだ。

変装のことを知らなかったジョディは（ク、クールキッド!?）と目を見張った。


そのころ、新一も、自分の顔に手をかけて変装用のマスクをはぎ取っていた。

「こういうこっちゃ!!」

威勢のいい関西弁とともに、マスクの下の素顔をさらしたのは、西の高校生探偵・服部平次。船の上で推理を披露した工藤新一は、服部の変装だったのだ。

「お、お前は…服部平次!?　へ、変装だと？」

「こぐ声も口調もそっくりだったけど…」

小五郎と園子が口々に言う。すっかり動揺している二人の後ろで、メデューサは、

（当然よ…）

と、人知れず笑みを浮かべていた。

（あの変装は、6時間かけた私の自信作…。声は似てるもなにも、指に付けたマイクに小声で話す平次君の推理を受信して、新一がマスクのマイクで喋り、その声を平次君のネクタイのスピーカーから出してたんだから……）

実は、メデューサの正体は、工藤新一の母・工藤有希子だった。服部を新一に変装させ、さらにコナンを灰原に変装させたのは、有希子だったのだ。元有名女優の有希子は、メイクや変装の達人なのだ。

服部は、指に付けたマイクで、新一に向かって呼びかけた。

「よっしゃ、こっちはええぞ、工藤！　そっちも決めろや!!」

コナンは腕時計型麻酔銃を構え、丸腰となったベルモットを狙っていた。

「おっと、動くなよ…あんたの体がライフルの死角になってんだ…」

低い声で警告する。

ベルモットがこの位置に立っている限り、カルバドスは、ジョディやコナンをライフルで狙うことができないはずだ。

「さぁ…ジョディ先生の後に、車に乗ってもらおうか…警察までドライブしようぜ！」

コナンの計画は大詰めを迎えていた。ベルモットに打つ手はない。コナンに言われるがまま車に乗る以外に、選択肢はないはず——と思われた、次の瞬間。

ザッと足音を立て、誰かが埠頭へと走って来た。

「え？」

腕時計型麻酔銃を構えたまま、コナンは動きを止めた。

（は、灰原!?）

地下室に閉じ込めておいたはずの灰原が、なぜか今、目の前にいるのだ。

灰原がかけている眼鏡を見て、コナンはギリッと奥歯をかみしめた。

（予備の追跡眼鏡…やっぱりお前…隠してやがったな!!）

車を走らせていたジンのもとへ、船上にいるウォッカから電話がかかってきた。工藤新一が現れた、と報告を受けるが、

「工藤新一…？」

と、ジンはピンと来ていない様子だ。

「ホラ、前に兄貴が組織の薬で毒殺したガキですよ…」

ウォッカがもどかしそうに説明する。

「悪いな、ウォッカ…。殺した奴の顔と名前は…忘れる事にしてるんだ…」

そう言ってタバコに火をつけると、ジンは「それで？」と続きをうながした。

「その死んだガキが化けて出たとでも言うのか？」

「あ、いや…それが妙な事になってまして…」

ウォッカは携帯電話を耳に当てたまま、マストの方を仰ぎ見た。

見張り台に立っていたのは、工藤新一ではなく、変装を解いた服部平次だ。

「だいたい何でお前が工藤新一に変装しなきゃいけねーんだ？」

小五郎が服部に向かってがなりたて、服部は、

「あー、スマンスマン！」

と、悪びれずに謝った。

「工藤の奴、最近全然顔見せへんから、さみしなってなア…。アイツの振りして推理かましたら出てきよるかもしれへん思てたんやけど…やっぱり噂通り死んでしもたんやろか？」

「――ったく、お前それ二度目だろーが！」

小五郎があきれて言い、園子も、

「蘭がいたらブッ飛ばされているわよ！」

と口をとがらせた。

（しゃーないやろ？）

服部は内心で、二人に言い返す。

（工藤にメールで頼まれたんやから…。奴らは自分を遠ざけて何かやらかそ思てるから、

裏かくために、自分になりすましてこの船に乗ってくれへんかってな！）

服部は新一からのメールを受け、大阪からわざわざやって来て、この計画に協力してくれたのだ。

（けどビビったで…工藤の家行ったら、アイツのオカンがいてたんには…）

メデューサ姿の有希子の方に視線を向ける。目が合った有希子は、にっこりと笑ってピースサインをしてきた。

昨晩、工藤邸でコナンを待ち伏せていた不審人物は、有希子だったのだ。銃を持っているように見えたのは、コナンを驚かせようと水鉄砲を構えていたためだった。

（工藤の事が心配で、ずっと家に隠れて様子見てたみたいやけど…まさか人を変装させる特技持ってたとはアルセーヌ・ルパンもびっくりや……。おかげで包帯男のまんま、推理せんで済んだけどな…。気になるんは、阿笠っちゅうジイさんの家の地下室に眠らして閉じ込めてる、あの小っさい姉ちゃんや…追跡眼鏡っちゅう機械を、あの姉ちゃんが隠し持ってなかったら大丈夫やて工藤はゆうてたけど…）

平次はコナンに協力して部屋中を探したが、結局、追跡眼鏡は見つからなかった。しかし万が一、どこかに隠していた場合、灰原はそれを使ってコナンの居場所を探し、追いかけてくるかもしれない。そうならないよう、地下室には鍵をかけておいたのだが――

（オレやったら、工藤が自分の身代わりになって危ない奴らに会いに行くんを、黙って待ってられへんで…）

灰原の寝顔を思い出し、平次は顔をくもらせた。

（鍵こじ開けて、何がなんでも工藤ん所に…）

平次の予想は正しかった。

地下室で目を覚ました灰原は、コナンがベルモットに会いに行ったことをさとり、隠し持っていた予備の追跡眼鏡を使ってこの埠頭までやって来たのだ。

（く、工藤君…）

コナンがベルモットに腕時計型麻酔銃を向けているのを見て、灰原は驚いて立ち尽くした。

「に、逃げろ灰原!! 早くここか…」

コナンが灰原に気を取られた隙に、ベルモットはコナンの手首をつかんだ。

「ら…!?」

とっさに反抗しようとするコナンだが、子供の力では大人にかなわない。ベルモットは、そのまま くるりと腕時計型麻酔銃をコナンの方へ向け、パシュッと麻酔針を放った。コナンはその場で、眠り込んでしまう。

「Good night, baby…(おやすみ、ボウヤ…)」

コナンをそっと地面に横たえると、ベルモットは灰原の方に向き直った。

「And welcome…(そしてようこそ…)Sherry!」

組織のコードネームで灰原を呼び、足首に隠し持っていた銃を向ける。

灰原は、その場に立ちすくんだ。


有希子は、船の上で、シャロンに思いをはせていた。有希子とシャロンは女優仲間で、昔からの知り合いなのだ。

数時間前——有希子に灰原の変装をしてもらいながら、コナンは、シャロンが娘のクリスと同一人物である可能性について有希子に話した。

「ベルモットって奴が、灰原を殺すためにオレを遠ざける理由で考えられるのは…奴の正体が女優のクリス・ヴィンヤードで、しかもシャロンと同一人物だった場合だ！　多分変装で二役をやってるんだろうけど…母さんの知り合いなら、ガキの頃のオレをアルバムとかで見てるだろうから、オレの正体を見抜くのはわけないし、事件に巻き込みたくないのもわからなくはねーからな…」

特殊メイクを終えたコナンは、灰原と同じ髪型のウィッグをかぶると、「大丈夫！」と力強く有希子に笑いかけた。

「絶対生きて帰って来てやっから心配すんな！」

しかし、死んだはずのシャロンが黒の組織の一員として生きていて、しかも娘のクリスと同一人物だったとは——有希子には、にわかには信じられない。

(本当にそうなの？　シャロン…)

ベルモットは、冷たく微笑して、銃口を灰原に向けた。

「バカな女…。このボウヤのカワイイ計画を台無しにして…わざわざ死にに来るなんて…」

「ただ死にに来たんじゃないわ…全てを終わらせに来たのよ…」

灰原は追跡眼鏡を外すと、決意に満ちた表情でベルモットを見つめた。

「たとえあなたが捕まっても、私が生きているかぎり…あなた達の追跡は途絶えそうにないから…。そのかわり約束してくれる？　私以外、誰にも手をかけないって…」

「いいわ…FBIのこの女以外は助けてあげる…」

ベルモットは、ジョディの方へちらりと視線を送ると、改めて灰原を見すえた。

「でも、まずはシェリー、貴方…。恨むのならこんな愚かな研究を引き継いだ貴方の両親を…」

握った銃の引き金に、ゆっくりと力をこめる。

その時、ベルモットの背後で、車のトランクが勢いよく開いた。

（え？）

振り返り、トランクから出て来た人物を見て、ベルモットは驚がくした。

（ウソ…どうして!?）

ジョディも（まさか…見られた!?）と息をのんで驚いている。

その人物は、トッと車の屋根に飛び乗ると、そのまま車の上を走って灰原の方へと向かった。

ダアン！

カルバドスが、その人物に向かって発砲した。足元で銃弾が跳ねる。

「待って!!　カルバドス!!」

ベルモットが静止するが、カルバドスは聞こえていないのか、なおも銃を撃ち続けた。

しかし、その人物は止まらずに駆け抜け、灰原を抱え上げて胸の中にかばうと、ザッと地面に倒れ込んだ。

灰原を助けるためトランクから出て来た人物とは――蘭だった。

射撃を続けようとするカルバドスに向かって、ベルモットは威嚇で銃を撃ち、

「待ってって言ってるでしょ!?」

と声を荒らげた。

その表情は、今までになく混乱している。突然、蘭が現れたことで、かなり動揺しているようだった。

ベルモットは蘭に銃口を向けると、

「さあ、どきなさい。その茶髪の子から…死にたくなければ早く!」

と早口に急き立てた。

灰原が起き上がろうとするが、蘭は、

「ダメ! 動いちゃ!!」

と制止して、灰原の身体をぎゅっと抱きしめた。

「さあ…早く!!」

ベルモットがあせった口調で蘭を急かす。

蘭は、灰原が動かないよう強く抱きしめたまま、必死に言い聞かせた。

「警察呼んだから…もう少しの辛抱だから…お願い!!」

「……」

灰原は、おずおずと蘭の身体を抱きしめ返した。

(お姉ちゃん…)

必死に灰原を守ろうとする蘭の姿が、姉と重なって感じられる。

灰原の姉、宮野明美も組織の一員だった。いつも妹の心配ばかりしている優しい姉だったが、組織にとって用済みになったことから、ジンによって殺されてしまった。

「Move it, Angel!!(どいて、エンジェル!!)」

しびれを切らしたベルモットが、英語で怒鳴る。

ベルモットが取り乱している隙に、ジョディはライフルの死角へと移動した。ベルモットが落とした銃を拾い、引き金を引く。

ドン!

銃弾は、狙い通りベルモットの右肩へと当たった。

「ラ、ライフルの死角は取ったわ…銃を捨てなさい!!」

ジョディは銃口をベルモットに向けたまま、息も絶え絶えに警告した。

「さもないと次は頭を…」

言いかけて、ジョディははっと身体を固くした。背後で、シャコ、と聞き覚えのある金属音がしたのだ。

(ポンプ音? ショットガン⁉)

「OK、カルバドス…挟み撃ちよ!」

ベルモットが勝ち誇ったかのように言う。

(やばい、後ろから…)

ジョディはあせった。カルバドスの死角に入ったつもりだったが、彼はすでに場所を移動していたのだろうか? だとしたら、ジョディは挟み撃ちにされてしまったことになる。

ジョディの背後に積み重なったコンテナの間から、足音はコツコツと近づいて来る。

その足音に向かって、ベルモットは楽しげに語りかけた。

「さあ、貴方愛用のそのレミントンで…FBIの小猫ちゃんを吹っ飛ばして…」

しかし、やって来たのはカルバドスではなかった。

黒いニット帽をかぶった、目つきの悪い男――赤井秀一だ。右肩にライフルを背負い、さらに左手にも別のライフルを持っている。

「ホー…あの男、カルバドスっていうのか…。ライフルにショットガンに拳銃三丁…どこかの武器商人かと思ったぞ…」

「あ、赤井秀一⁉」

ベルモットは銃を持ったまま、表情をこわばらせた。

「もっとも、両足を折られて当分商売はできんだろうがな…」

どうやらカルバドスは、赤井によって無力化させられてしまったらしい。頼もしい味方の登場に、ジョディはほっとした様子で「秀一！」と声を弾ませた。

「まぁカルバドスは林檎の蒸留酒…腐った林檎の相棒にはお似合いってトコロか…」

赤井が悠々と話すのを聞きとがめ、ベルモットは、

「腐った林檎？」

と聞き返した。

赤井がニヤリとする。

「アンタに付けた標的名だ……。大女優シャロンが脚光を浴びたのは、舞台のゴールデンアップル！　あの時のままアンタは綺麗だが…。中身はシワシワの腐った林檎ってな!!」

「くっ!!」

ベルモットは苛立ちにまかせ、バッと銃を構えた。

しかし、ベルモットよりも先に、赤井が素早くライフルを撃つ。

ズガン！

腹に弾を受け、ベルモットは「うっ」とうめいて、地面に倒れ込んだ。

「ダメよ、秀一！　殺しちゃ…」

「安心しろ…防弾着やパッドを重ねて体中に装着している事ぐらい、奴の動きでわかる…。アバラは2、3本折れただろうがな…」

赤井は頬から血を流すベルモットを見ながら続けた。

「それより見ろ！　散弾で裂けた奴の顔を…。やはり、あれがあの女の変装なしの素顔ってわけだ…」

ベルモットは反撃をあきらめ、ダッと駆け出した。

赤井が銃口を向けるが、倒れている蘭や灰原、コナンが邪魔でなかなか狙うことが出来ず、

「ちっ！　ガキ連中が邪魔で…」

と、舌打ちをする。

ベルモットは、ジョディの車に寄りかかって眠っていたコナンの身体を抱きあげると、そのまま運転席に滑り込んだ。ギャギャ、とタイヤをきしませながら、勢いよく車を発進させる。

走り去りながら、ベルモットは左腕を窓から外に出し、銃を撃った。弾は、ベルモットが乗って来た車のトランクに当たり――

ドカ!!

車はたちまち炎上してしまった。

ピュー、と赤井が口笛を吹く。

「あの体でミラーごしにガソリンタンクを撃ち抜くとは…やるねぇ…」

「何感心してんのよ、人質取られて逃げられちゃったじゃない!!」

喚くジョディを、赤井はちらりと横目でにらんだ。

「自分の車のキーぐらい抜いとけよ……」

「わ、悪かったわね……」

力なく言うと、ジョディは「イタタ…」と撃たれた腹を押さえた。

「まあ、収穫ならあの女の仲間があそこに…」

そう言って、赤井がコンテナの上のカルバドスに視線を向ける。

次の瞬間、パン！　と乾いた音が響いた。続いて「うっ」とうめき声が聞こえ、カルバドスらしき人影が、ぐったりとコンテナの上に倒れ込む。

「おいおい、まだ銃持っていたのか？」

赤井があきれて言い、ジョディも「まさか自決？」とコンテナの上を仰ぎ見た。

カルバドスはおそらく、自分の口から組織の情報がもれることを恐れて、自決したのだろう。これで、組織につながる手がかりはなくなってしまった。

ファンファン……

遠くから、パトカーのサイレンが近づいて来る。

「おっと、日本警察のお出ましか…」

「きっとこの蘭って子が呼んだんだわ…」

ジョディは言いながら、地面に倒れたままの蘭の顔をのぞきこんだ。蘭と灰原は、しっかりと抱き合ったまま、二人そろって気を失っているようだ。

「トランクの中じゃ会話は聞き取れなくても銃声ならわかるから…多分私の家の写真を見て不審に思い、私の事を探ろうとして車に忍び込んだのよ…。そして銃声に釣られて外へ出て、銃口を向けられた茶髪の子を庇ったんでしょうけど…さっきのドンパチで撃たれたと思って二人共気絶してるわ…」

そう言うと、ジョディは苦笑いした。

「まったく…。度胸があるんだかないんだか…」

赤井は、気を失った灰原を一瞥すると、

「じゃあ後は任せた…」

とジョディに告げ、背中を向けた。

「長期休暇で来日していたＦＢＩ捜査官が、ガキの誘拐事件に巻き込まれたとでも言っといてくれ…。あの女を逃した現状では、本当の事を話しても誰も信じてくれんだろうし、結局本命は出て来ずじまい…。それに、俺はまだその茶髪の少女と顔を合わせるわけにはいかないんでな…」

茶髪の少女、とは灰原のことだろう。

ジョディは、撃たれた腹を押さえたまま、去って行く赤井を無言で見送った。

車で逃走したベルモットは、人気のない林の中に車を停めた。

助手席に座らせたコナンは、まだ眠り続けたままだ。

携帯を見ると、ボスからメールが入っていた。

どうやら私はお前を自由にさせ過ぎたようだ。
私の元へ帰って来ておくれベルモット。

「OK…ボス…」

ベルモットは小さくつぶやくと、携帯のボタンを押してメールアドレスを入力し、ボスへの返信を送信した。

それから、ようやく一息ついて、コナンの方へと向き直る。

(さて…あとはこの子…。何でもできると信じてるこのボウヤをどうするか…)

コナンの身体に触れ、違和感に気が付いて、ベルモットは、はっとした。

ナイフを取り出し、コナンの服をビリビリに裂く。

すると、コナンの胸や腹には、コードにつながった吸盤のようなものが貼りついていた。

コードの先は、ズボンに固定された四角い小さな機械へとつながっている。

(心電図のモニターの電極!? テレメーターに録音機…まさかさっきの電話の音を…)

ベルモットは、コードの差込口を指でつまんだ。そのまま引き抜こうとするが——

「止めときな……」

いつの間にか起きていたコナンが、低い声で警告した。

ベルモットは、ぎくりと動きを止める。

「そいつを引っこ抜くと、オレの心臓が止まった事になり、オメーが今打ったボスのメールアドレスがわかっちまうぜ……」

言いながら、コナンはゆっくりと身体を起こした。

「電話会社には契約者の守秘義務があるが…警察なら専用の書類にお偉いさんの印鑑を押して、複数の人間の立ち会いの元で、その情報を得る事ができる……。着信番号が携帯じゃなく、固定電話なら住所までバッチリな!!　つまり、今の音を録音し、解析して、アルファベットや番号を割り出せば、オメーらのボスの名前や居場所がわかるってわけだ！　たとえオレが殺されてもな！」

携帯電話のボタンには、それぞれ違った音階の音が振り分けられている。先ほどベルモットがコナンのすぐ隣で、ボスのメールアドレスを打ち込んだ時にも、携帯のボタンはパピポプ…と音を鳴らしていた。そして、その音は、コナンが腰につけている録音機に記録されていたのだ。

コナンの心臓が止まれば——つまり、コナンが死ねば——録音された音声データは阿笠博士のもとへと送られる。そうなれば、ボスの居場所がバレるのは時間の問題だ。

まさかコナンがこんな罠を仕掛けていたとは思わず、ベルモットは口を小さく開け、呆気に取られた。

「まあ、オメーらが血眼になって捜してる裏切り者のシェリーを捕まえたとなれば、必ずあんたらのお偉いさんに連絡を取ると踏んでたよ…。ジョディ先生が殺されそうになったから、予定を変更しちまったけどな…。さあ、どうする？　離れた場所で、オレの仲間が着信を待ってるぜ…」

コナンは、胸に付いた心電図の電極のコードをビンと引っ張った。

「発信されたくなかったら、ボスの所へ連れて行け！　ケリをつけようじゃねーか、ベルモット!!　もう隠れんぼは止めにしてーんだよ!!!」

コナンと視線を交わしたあと、ベルモットはふっと表情をゆるめた。

「わかったわ…私の負けよ…。シェリーはあきらめてあげる…」

そう言って、携帯電話を手に取る。

予想外にあっさりとベルモットが負けを認めたので、コナンは一瞬「え？」ととまどってしまった。

ベルモットが、携帯電話の外側に作りつけられたボタンをピッと押す。すると、プシュ！　と、携帯電話の側面から白い煙が噴き出した。

「な⁉」

コナンが驚いて、車から出ようとする。ベルモットはコナンの両手首をつかんで、逃げられないようぎゅっと強く握った。

「ただの睡眠ガスよ…」

「バ、バーロ…んな事したらオメーもガスを…」

「ええ…これは賭…」

ベルモットは、どこか楽しげに笑って続けた。

「貴方が先に起きたら警察を呼んで私を拘束し、警察と共にボスの所へ乗り込む…。私が先に起きたらどうなるか…わかるわよね？」

白い煙は、どんどん車の中にあふれていく。

コナンは唇をかみしめたが、睡眠ガスにはあらがえず、再びその場で眠りについてしまった。

離れた場所で待機しているコナンの仲間というのは、阿笠博士のことだった。

車内でのコナンとベルモットの会話は、阿笠博士も聞いていた。ベルモットが催眠ガスを使ったことを知り、阿笠博士は慌てて車のエンジンを入れた。

「た、大変じゃ!!　早く起こしに行かんと…新一君が…」

大急ぎで新一のもとへ向かおうとした、次の瞬間――

パァン!!

コナンとベルモットがいるはずの車内で、突然、銃声が響きわたった。

「え？」

二人とも睡眠ガスで眠ってしまったはずなのに、どうして銃声が聞こえてきたのだろう
――阿笠博士はぎょっとして、コナンのもとへと急いだ。

コナンは、林に停められた車の中で眠っていて、博士が声をかけるとすぐに目を覚ました。

車内にベルモットの姿はなく、助手席にはベルモットのものらしき血痕が残っている。

コナンの身体には、ベルモットの着ていた上着がかけられていた。

ベルモットはどこに行ったのだろう？

身体の上から上着をどけて、コナンは驚がくした。テレメーターや録音機が、すっかり解体され、壊されていたのだ。これでは、せっかく録音したボスのメールアドレスのデータも、全ておじゃんだ。

結局、収穫はナシ——

コナンはガッカリして、うなだれた。

阿笠博士が聞いた銃声は、ベルモットが自分自身を撃った音だった。痛みで睡魔を追い払ったので、ベルモットは睡眠ガスを吸っても眠らなかった。

眠り込んだコナンを車に残し、ベルモットはひらすらに林を歩いた。国道沿いに歩くと電話ボックスがあったので、そこからジンに電話をかける。ジンはウォッカと車で移動中だった。

「赤井秀一にやられただと？」

ベルモットから事情を聞いたジンは、そう聞き返した。

「え、ええ…。彼に偶然見つかって、アバラ三本もっていかれたわ…」

「ああ…一年前にお前がＮＹで通り魔に化けておびき出し、殺しそこねたあのＦＢＩか…」

赤井のことを思い出したジンの声は、どことなく楽しげになった。もしかしたら、彼と赤井の間には、なにか因縁めいたものがあるのかもしれない。

「た、ただの通り魔なら彼も油断すると思ったのにね…。や、やっぱり、相撃ち覚悟であの時、殺っておけばよかったわ…。ボ、ボスが…あの方が…我々の銀の弾丸になるかもしれないと、お、恐れているあの男を…」

ベルモットが息も絶えだえに言うと、ジンは「フン」と不敵に鼻を鳴らした。

「我々を一撃で破滅させられる銀の弾丸なんざ存在しねえよ……」

「と、とにかく…今、20号線沿いの電話ボックスだから拾ってくれる？　ちょ、ちょっとトラブルがあって動けないの…」

ジンは20号線に向かってハンドルを切りながら、

「その前にお前に聞きたい事がある…」

と、いつもの無感情な声に戻って聞いた。

「工藤新一ってガキ、知ってるか？」

「………」

短い沈黙のあと、ベルモットは「さあ…」としらばっくれた。

「知らないわ……」

脳裏に浮かぶのは、一年前にNYで会った時の、新一の姿だ。蘭も一緒にいた。

(そう、彼よ…。私の胸を貫いた彼なら…なれるかもしれない…。長い間待ち望んだ…銀の弾丸に…)

The proof of justice is still on the way.

Shogakukan Junior Bunko 

★小学館ジュニア文庫★

名探偵コナン
赤井秀一緋色の回顧録（メモワール）セレクション　狙撃手の極秘任務（アンダーカバー）

2021年４月14日　初版第１刷発行

著者／酒井 匙
原作・イラスト／青山剛昌

発行人／野村敦司
編集人／今村愛子
編集／山口久美子

発行所／株式会社　小学館
〒101-8001　東京都千代田区一ツ橋２－３－１
電話／編集　03-3230-5105
販売　03-5281-3555

印刷・製本／中央精版印刷株式会社

デザイン／石川将人＋ベイブリッジ・スタジオ

Printed in Japan　ISBN 978-4-09-231366-8

★小学館ジュニア文庫★ ワクワク、ドキドキがいっぱいのラインナップ

〈大人気！「名探偵コナン」シリーズ〉

名探偵コナン　瞳の中の暗殺者
名探偵コナン　天国へのカウントダウン
名探偵コナン　迷宮の十字路
名探偵コナン　銀翼の奇術師
名探偵コナン　水平線上の陰謀
名探偵コナン　探偵たちの鎮魂歌
名探偵コナン　紺碧の棺
名探偵コナン　戦慄の楽譜
名探偵コナン　漆黒の追跡者
名探偵コナン　天空の難破船
名探偵コナン　沈黙の15分
名探偵コナン　11人目のストライカー
名探偵コナン　絶海の探偵
名探偵コナン　異次元の狙撃手
名探偵コナン　業火の向日葵
名探偵コナン　純黒の悪夢
名探偵コナン　から紅の恋歌
名探偵コナン　ゼロの執行人
名探偵コナン　紺青の拳
ルパン三世VS名探偵コナン　THE MOVIE

名探偵コナン　江戸川コナン失踪事件 史上最悪の二日間
名探偵コナン　コナンと海老蔵 歌舞伎十八番ミステリー
名探偵コナン　エピソード"ONE" 小さくなった名探偵
名探偵コナン　紅の修学旅行
名探偵コナン　大怪獣ゴメラVS仮面ヤイバー
名探偵コナン　ブラックインパクト！ 組織の手が届く瞬間

小説 名探偵コナン　CASE1～4
名探偵コナン　安室透セレクション ゼロの推理劇
名探偵コナン　怪盗キッドセレクション 月下の予告状
名探偵コナン　京極真セレクション 蹴撃の事件録
名探偵コナン　赤井秀一セレクション 赤と黒の攻防
名探偵コナン　赤井一家セレクション 緋色の推理記録
名探偵コナン　世良真純セレクション 異国帰りの転校生
まじっく快斗1412　全6巻